MO DON

VEDA
VYDAVATEĽSTVO
SLOVENSKEJ
AKADÉMIE VIED

D1073765

SLOVENSKÁ AKADÉMIA VIED
Ústav historických vied

VEDECKÝ REDAKTOR
PhDr. Ivan Kamenec, CSc.

RECENZENTI
Doc. PhDr. Robert Kvaček, CSc.
PhDr. Zdenka Holotíková, DrSc.

Bratislava 1990

MRT

SLOVENSKO V POLITIKE MAĎARSKA V ROKOCH 1938 – 1939

LADISLAV DEÁK

Université d'Ottawa
BIBLIOTHÈQUES
LIBRARIES
University of Ottawa

VEDA

© *Ladislav Deák, 1990*

D.B
2778
.H9
D43
1990

ISBN 80–224–0212–5 (edícia)
ISBN 80–224–0169–2

OBSAH

ÚVOD

V práci *Slovensko v politike Maďarska v rokoch 1938–1939* skúmam zahraničnopolitické koncepcie horthyovského Maďarska v dvoch rovinách: v širších maďarsko-československých medzištátnych súvislostiach, v kontexte celkového politického trendu Československa a susedných štátov a v konkrétnom vzťahu maďarskej vládnej politiky k Slovensku a k jeho politickému vývinu.

Pri hodnotení trianonského Maďarska som vychádzal z faktu, že jeho negatívny postoj k Československu bol determinovaný predovšetkým mocenským činiteľom, ktorý sa v praxi prejavoval v úsilí o dezintegráciu československého štátu a v opätovnom ovládnutí Slovenska a Zakarpatskej Ukrajiny. Kým v dvadsiatych rokoch vzhľadom na celkovú medzinárodnú izoláciu Maďarska tento mocenský faktor zostával v úzadí, v tridsiatych rokoch už jednoznačne dominoval a maďarské vládne kruhy boli presvedčené, že presuny v európskej veľmocenskej politike upevnia mocenské postavenie Maďarska na úkor Československa.

V československej vládnej politike až do tridsiatych rokov prevládal názor, že maďarská revízia predstavuje hrozbu pre bezpečnosť štátu. Pritom sa ani tak nemyslelo na samo slabé Maďarsko, ale na jeho využitie ako nástroja pre mocenské záujmy inej veľmoci. Toto nebezpečenstvo sa stalo akútne najmä po nástupe nacistov k moci, keď prehlbovanie maďarsko-nemecké-

*ho priateľstva veľmi negatívne vplývalo na vývin českosloven-
sko-maďarských vzťahov.*

*Nezávisle od toho, že Slovensko nevystupovalo v rámci repub-
liky ako samostatný zahraničnopolitický faktor, v maďarskej po-
litike sa s ním v celom medzivojnovom období kalkulovalo ako
so slabým miestom československej zahraničnej politiky. Ab-
sencia štátoprávneho postavenia Slovenska ako druhého národ-
ného subjektu v republike a chýbajúca tradícia československej
štátnosti maďarské plány so Slovenskom ešte viac umocňovali.
Maďarská vládna politika nepochopila alebo presnejšie nechce-
la brať na vedomie, že československá štátnosť nie je epizódou,
ale výsledkom dlhého historického vývinu a napriek mnohým
trhlinám, ktoré sa prejavovali vo vzťahoch obidvoch národov,
československý štát je konštantnou a trvalou orientáciou sloven-
ského národa. O neudržateľnosti názorov, ktoré vládli v maďar-
ských politických kruhoch o Slovensku, nasvedčujú aj iné sku-
točnosti. Existencia československého štátu v krátkom časovom
období vyvrátila skostnatelé tézy maďarskej politiky o geografic-
kej, historickej a hospodárskej „jednote" bývalej monarchie a až
prekvapujúco rýchlo sa zo Slovenska vytratilo presvedčenie
o duchovnej „jednote" a spoločných uhorských tradíciách, ktoré
sa formovali dlhé storočia. Ukázalo sa, že tieto teórie nezapustili
hlboké korene v slovenskom národe a boli skôr želaním než rea-
litou. Celkovo treba povedať, že maďarská vládna politika aj po
utvorení Československa ignorovala slovenský národný život
a nechápala Slovensko ako samostatný národný subjekt a pro-
blém samých Slovákov, ale výlučne ako politický objekt maďar-
ských vládnúcich kruhov.*

*Chronologicky som sa sústredil na kľúčové udalosti krízových
rokov 1938–1939, ktorých mnohé zahraničnopolitické aspekty
nie sú ešte dostatočne preskúmané. Myslím tu na politiku Ma-
ďarska voči Československu vo všeobecnosti a k Slovensku oso-
bitne. Napriek tomu, že naša historiografia už osvetlila mnohé
otázky maďarskej politiky, predsa však nám chýba širší a kom-
plexný pohľad, najmä na obdobie tridsiatych rokov, keď maďar-
ské koncepcie o Slovensku prechádzali do štádia ich realizácie.*

Vzhľadom na túto skutočnosť, som sa v práci v mnohých prípadoch musel vracať k „drobnokresbe" a k hlbším sondám a politickým analýzam. Túto požiadavku som musel akceptovať aj preto, že preskúmané archívne materiály mi dovolili formulovať nové pohľady a hodnotenie maďarskej politiky voči Slovensku.

Závery a hodnotenia, ku ktorým som dospel, sú výsledkom výskumu pôvodných dokumentov z československých, maďarských a poľských ústredných archívov a publikovaných materiálov, literatúry a súdobej tlače.

Keďže touto prácou som chcel predovšetkým osvetliť zahraničné koncepcie maďarskej vládnej politiky vo vymedzenom časovom období a ich ohlas v československej politike a odraz na Slovensku, vnútropolitickými otázkami som sa zaoberal len okrajovo, a to v takej miere, ako to vplývalo, resp. modifikovalo stanovisko zahraničnej politiky štátu.

Vzhľadom na to, že pri písaní práce som položil dôraz na osvetlenie nových a menej známych momentov v maďarsko--slovenských vzťahoch a uprednostnil som politickodiplomatický pohľad, prirodzene, že iné aspekty som nemohol v plnej miere akceptovať. Preto si nenárokujem na podanie vyčerpávajúceho obrazu veľmi zložitého a mnohými protikladmi nabitého obdobia.

Bratislava december 1988   Ladislav Deák

9

POUŽITÉ SKRATKY A ICH VYSVETLENIE

AAN – MSZ – Archiwum Akt Nowych, Ministerstwo spraw za-
granicznych, Warszawa
ADAP – Akten zur deutschen auswärtigen Politik 1918–1945.
Serie D/1937–1945/, Bd. II, IV, Baden-Baden 1951
AFMZV – Archiv Federálního ministerstva zahraničních věcí,
Praha
PS – Politické správy
PS II – Politické správy – II. sekcia
PS III – Politické správy – III. sekcia
TD – Telegramy došlé
TO – Telegramy odoslané
ZÚ – Zastupiteľský úrad
AÚML ÚV KSS – Archív Ústavu marxizmu-leninizmu Ústred-
ného výboru Komunistickej strany Slovenska
DIMK – Diplomáciai iratok Magyarország külpolitikájához
1936–1945.
    I. A Berlin-Róma tengely kialakulása és Ausztria anne-
xiója 1936–1938. Zostavil L. Kerekes, Budapest
1962.
    II. A Müncheni egyezmény létrejötte és Magyarország
külpolitikája 1936–1938. Zostavila M. Ádám, Buda-
pest 1965.
    III. Magyarország külpolitikája 1938–1939. Zostavila M.
Ádám, Budapest 1970.
    IV. Magyarország külpolitikája a II. világháború kitöré-

sének időszakában 1939–1940. Zostavil Gy. Juhász, Budapest 1962.

DTJSZ – Diariusz i teki Jana Szembeka (1935–1945). IV, London 1972

HSĽS – Hlinkova slovenská ľudová strana

MD – Mnichov v dokumentech. I, Praha 1958

MNR – Maďarská národná rada

MTI – Magyar távirati iroda

OKW – Oberkomando der Wehrmacht

OL – Országos levéltár, Budapest
    Küm. pol. – Külügyminisztériumi politikai anyag
    Küm. res. pol. – Külügyminisztériumi rezervált politikai anyag
    ME – Miniszterelnökségi anyag

OSZK – Országos Széchényi könyvtár, Budapest

SdP – Sudetendeutsche Partei

SÚA – Státní ústřední archiv, Praha
    AA – Auswärtiges Amt
    PMR – Presidium ministerské rady

ŠÚA–SSR – Štátny ústredný archív Slovenskej socialistickej republiky, Bratislava
    KÚ – Krajinský úrad
    NS – Národný súd
    SL – Slovenská liga
    ÚPV – Úrad predsedníctva vlády

ÚHV SAV – Ústav historických vied Slovenskej akadémie vied, Bratislava

ZMS – Zjednotená maďarská strana

I. PERIPETIE MAĎARSKEJ REVÍZIE

Hlavný trend, ktorým sa vyznačovala zahraničná politika horthyovského Maďarska v celých dvoch desaťročiach medzivojnového obdobia, bolo dosiahnutie revízie Trianonskej zmluvy. Maďarské vládne kruhy sa nikdy nezmierili s rozbitím svätoštefanskej ríše, so stratou teritória bývalého uhorského štátu a so svojím privilegovaným postavením v karpatskej kotline. Preto urobili všetko, aby myšlienku revízie hraníc vniesli do povedomia čo najširšieho obyvateľstva, a to v takej miere, aby ona ovládla celý politický, hospodársky i spoločenský život v štáte. Pod revíziou maďarská vládna politika vždy myslela úsilie o návrat do starých predvojnových uhorských pomerov so všetkými ich dôsledkami. Išlo prakticky o opätovné územné a politické ovládnutie bývalého územia uhorského štátu a o obnovenie maďarského nacionalistického ducha starých čias.

Kým v domácom maďarskom prostredí revizionistické myšlienky a požiadavky vystupovali v nezastretej forme, v zahraničí musela maďarská politika brať ohľad na mnohé okolnosti. Keďže horthyovský režim nemohol otvorene hlásať „restitucio in integrum", takticky vysúval do popredia „krivdy" Trianonu a poukazoval na osud žijúcich maďarských menšín v nástupníckych štátoch, čím chcel v zahraničí a na rôznych medzinárodných fórach neustále udržiavať otázku revízie hraníc. Podobne, maďarská politika využívajúc neznalosť stredoeurópskych pomerov na Západe, usilovala sa poukázať jedine na „negatívne" dôsledky mierových zmlúv, na neutešené hospodárske pomery a na politické protiklady v Podunajsku, bez ktorých riešenia – tvrdila – nemožno udržať mier, ani ozdraviť pomery v podunajských štátoch.[1] Revízia, ktorá vychádzala z etnického princípu, narážala v maďarskom prostredí od začiatku na viaceré úskalia. Odhliadnuc od toho, že sa vždy chápala iba ako začiatok a súčasť veľkej integrovanej revízie, názory na jej prevedenie sa rozchádzali. Kým jedni tvrdili, že by bolo vážnou chybou robiť striktný rozdiel medzi etnickým a historickým princípom, druhí chápali hlásanie etnického princípu skôr ako taktický krok, ktorý mal uľahčiť obnovenie pôvodných uhorských hraníc. V prípade Slovenska by situácia vyzerala takto: ak by sa za priaznivej medzinárodnej situácie podarilo Maďarsku realizovať revíziu hraníc na etnickom princípe a posunúť ich čo najviac na sever a odrezať Slovákov od nížiny, potom by sa automaticky utvorili podmienky aj na ovládnutie ostatného Slovenska. Okliešténe a oslabené Slovensko by sotva našlo iné východisko ako „návrat" do maďarského štátu.[2] Na rozdiel od tejto tzv. horizontálnej koncepcie, utvoril sa aj druhý spôsob realizovania revízie, a to vertikálna cesta. Táto vychádzala z predpokladu, že najprv by došlo k pripojeniu Zakarpatskej Ukrajiny k Maďarsku, pričom by sa nové hranice posunuli čo najviac na západ, aby aj celé východné Slovensko pripadlo do Maďarska. Maďarské vládne kruhy aj v takomto prípade rátali s tým, že by sa tým značne oslabila odolnosť ostatného Slovenska a malo by to za následok postupné pohlcovanie jeho zvyšku.[3]

Slabiny etnického princípu vystúpili najmä v čase Rothermerovej akcie. Keď zahraničná revizionistická propaganda, stojaca v službách Maďarska, žiadala korekciu hraníc medzi Československom a Maďarskom na etnickom základe, vyvolalo to ostrý protest maďarských vládnych kruhov. V Budapešti sa zrazu naľakali,

---

[1] Bethlen István angliai előadásai. Budapest 1934, s. 106–107.
[2] Magyarország és a második világháború. Zostavili M. Ádám, Gy. Juhász a L. Kerekes, Budapest 1959, s. 156–157; TILKOVSZKY, L.: Slovenská otázka v politike maďarských vládnúcich tried v rokoch 1938–1945. In: Príspevky k dejinám fašizmu v Československu a Maďarsku. Bratislava 1969, s. 289–290.
[3] STEIER, L.: Felsőmagyarország és a revízió. Budapest 1933, s. 32.

13

že by takéto riešenie uzavrelo cestu ďalšej revízii a Maďarsko by sa tým samo zbavilo možnosti nároku na obnovenie „historických" hraníc. Do problému chápania revízie podstatne zasiahol *I. Bethlen*, ktorý ako predseda vlády na sklonku dvadsiatych rokov upresnil formuláciu a postup Maďarska v otázke revízie. Vyslovil sa v tom zmysle, že maďarská politika sa usiluje o spätné získanie jednak územia maďarskej menšiny a jednak žiada plebiscit na tých teritóriách, ktoré predtým tvorili súčasť uhorskej koruny.[4] Tejto interpretácie sa pridržiavala maďarská zahraničná politika aj v nasledujúcich rokoch a v podstate sa nezmenila až do Viedenskej arbitráže. Prirodzene, že v Budapešti z taktických dôvodov raz zdôrazňovali revíziu na etnickom princípe, druhý raz ju úzko spájali s požiadavkou „historických" hraníc.

Pokiaľ išlo o smer a intenzitu maďarskej revízie, nesporne, najostrejšie útoky sa sústreďovali proti Československu. Bolo to tým, že Slovensko zaujímalo významné miesto v bývalom Uhorsku a okrem toho maďarské vládnuce triedy boli zviazané so Slovenskom mnohými rodovými, majetkoprávnymi i citovými záujmami. Zo Slovenska prišla do Maďarska aj početná emigrácia, ktorá túžila po návrate a po obnovení starých pomerov. Práve ona bola jedným z pilierov revizionistického a iredentistického hnutia v krajine. V porovnaní s Juhosláviou a Rumunskom zavážila tu aj ďalšia skutočnosť. Československu chýbala tradícia štátnosti a navyše ideológia čechoslovakizmu utvárala zo Slovenska veľmi slabé a zraniteľné miesto. Preto nebola náhoda, že maďarská revizionistická propaganda pri rozbíjaní republiky najviac kalkulovala s týmto faktorom. Bolo paradoxom, že tá maďarská politika, ktorá v Uhorsku neuznávala Slovákov ako národ, sa po konštituovaní čeksolovenského štátu „zastávala" samobytnosti slovenského národa. Prirodzene, že to bol jeden z mnohých taktických krokov Budapešti, ktorým sa sledovalo nielen rozbitie Československa, ale aj oslabenie Slovenska ako celku. Nenávisť maďarských vládnych kruhov voči republike bola moti-

---

[4] OL, Küm. pol. 1933–7/7–1323, Praha 4. 5. 1933; STEIER, L.: c. d., s. 21.

vovaná aj sociálnymi dôvodmi. Buržoáznodemokratické zásady, na ktorých spočíval československý štát, utvárali permanentné napätie medzi obidvoma štátmi v dvojakom smere: jednak znepokojujúco pôsobili na vnútropolitický režim kontrarevolučného Maďarska a jednak určitými sociálnymi výdobytkami v republike sa maďarská menšina odcudzovala Maďarsku. Napokon tu bol aj hospodársky aspekt, ktorý maďarská propaganda využívala proti Československu, dokazujúc hospodársku spätosť Slovenska s Maďarskom, ktorá podľa maďarskej interpretácie bola osožná nielen z hľadiska maďarského hospodárstva, ale prispievala aj k hospodárskemu rozmachu Slovenska.

Postoj maďarských vládnúcich kruhov k Slovensku bol až zarážajúco zaostalý a zastaralý a nejavil žiadne zásadné zmeny v porovnaní s predstavami z čias uhorského štátu. V maďarskej vládnej politike, kde udávali rozhodujúci tón konzervatívne vrstvy, pretrvávali o Slovákoch staré polofeudálne názory. Upieral sa im nárok na vlastný národný život so všetkými jeho atribútmi. Maďarská politika aj ďalej tvrdohlavo bránila tézu, že Slováci vždy „boli spokojní" s uhorským štátom a nestavali sa proti „historickému poslaniu" maďarského národa v karpatskej kotline. Nezhody nastali údajne až vtedy, keď sa dostala do popredia otázka jazyka a keď do osudov Slovákov v Uhorsku zasiahla česká politika, ktorej sa podarilo ovplyvniť vývin slovenských vecí. Tak sa stalo, že česká politika vniesla do slovensko-maďarských vzťahov nezhody. Podľa tejto teórie jedine vinou českej politiky sa Slováci stali jej objektom, boli „oklamaní" a proti „vlastnej vôli" väčšiny slovenského národa opustili tisícročný rámec svätoštefanskej ríše. To znamená, že slovenský národ nešiel sám do novokonštituovaného štátu, ale bol k tomu „donútený".[5] Z tejto umelej konštrukcie sa ďalej vyvodil záver, že vina za odčlenenie Slovenska od Uhorska jednoznačne padá na hlavu českých politických predstaviteľov a teda v Prahe treba hľadať hlavné nebezpečenstvo pre Maďarsko. Na tejto téze maďarskej politiky sa ce-

---

[5] BORSODY I.: A magyar-szlovák kérdés alapvonalai. Budapest 1939, s. 18, 29, 34.

15

lých dvadsať rokov nielen nič nezmenilo, ale v Budapešti sa naopak utvrdzovali, že ak sa raz podarí mocensky paralyzovať českú politiku a oslabiť jej pozície na Slovensku, maďarská revízia má otvorenú cestu a Slovensko samo padne do lona Maďarsku.[6]

Ako sa dalo predpokladať, maďarské vládne kruhy postupovali voči československému štátu takticky a diferencovane. Na jednej strane útočili proti všetkému, čo vychádzalo z Prahy, čo posilňovalo a upevňovalo pozície československej štátnosti, na druhej strane podporovali všetky odstredivé sily vnútri republiky i za hranicami. Osobitné miesto vo vývine československých pomerov zaujímalo Slovensko. Tu maďarská politika venovala pozornosť viacerým otázkam. V prvom rade chcela zapustiť korene v slovenskom autonomistickom hnutí, ktorému chcela dať žiadúci smer a náplň, ktoré by zodpovedali maďarským záujmom. V Budapešti od začiatku prejavovali záujem o autonomizmus v slovenskej politike, ktorý sa im zdal najúčinnejším nástrojom pri oslabovaní pozície centralistickej politiky na Slovensku. Kým v dvadsiatych rokoch táto taktika priniesla určitý úspech a *V. Tuka* tu zohral úlohu trójskeho koňa, v tridsiatych rokoch maďarská politika túto výhodu stratila. V slovenskom autonomistickom hnutí sa už nenašiel prúd, ani významná politická osobnosť, ktoré by boli ochotné realizovať maďarské revizionistické ciele. Na príčine bolo niekoľko faktorov. Na prvom mieste to bola nedôvera slovenského autonomistického tábora voči maďarskej politike, ktorá silnela s narastaním maďarskej revízie a s plánmi na pohltenie Slovenska.[7]

Druhý kanál, ktorým maďarská politika chcela ovplyvňovať autonomistický kurz na Slovensku, bolo taktizovanie s dvoma maďarskými menšinovými stranami. Najmä Krajínska kresťansko-sociálna strana sa zdala byť vhodná na to, aby sa svojím za-

---

[6] ŠÚA-SSR, KÚ, krab. 264, bez č. Elaborát Ľ. Koreňa o maďarsko-slovenských vzťahoch, vypracovaný 26. 11. 1936.

[7] TILKOVSZKY, L.: Revízió és nemzetiségpolitika Magyarországon (1938–1941). Budapest 1967, s. 14; ĎURČANSKÝ, F.: Pohľad na slovenskú politickú minulosť. Bratislava 1943, s. 204–205 a 207.

meraním a ideologickou náplňou zblížila s HSĽS a ovplyvnila jej politickú orientáciu v promaďarskom smere. Veľkú nádej v Budapešti vkladali aj do myšlienky tzv. „praobyvateľov" Slovenska, ktorá si kládla za cieľ zjednotiť všetky opozičné sily na Slovensku na princípe regionálnej, historickej a duchovnej „jednoty" s jasným politickým zámerom – rozbiť československú štátnosť a izolovať Slovensko od západnej časti republiky. Ani táto koncepcia nenašla adekvátne pochopenie vo vedení ľudákov, pretože predstava HSĽS sa líšila od postoja maďarských opozičných strán. Kým tieto kládli dôraz na utvorenie politickej jednoty na historickom princípe, ako základne na preorientáciu autonomistického hnutia na Maďarsko, zatiaľ hlinkovci chceli využiť zbližovanie s maďarskými menšinovými stranami na posilnenie svojej pozície na Slovensku, najmä vo vzťahu k centralistickým stranám.[8]

Celkovo maďarská vládna politika v tridsiatych rokoch sledovala na Slovensku jasný cieľ. Prostredníctvom maďarských menšinových strán aj ďalej hľadala cestu zblíženia a spolupráce s HSĽS na báze spoločného autonomistického programu. Keď toto úsilie neprinieslo výsledok, v Budapešti sa usilovali cez rôzne kanály vplývať na ľudácke vedenie, aby ho odradili od vstupu do vlády. Tým maďarská politika chcela zabrániť, aby sa HSĽS pretvorila na ďašiu aktivistickú stranu. Paralelne s touto taktikou v Maďarsku podnikali všetko, aby do čela HSĽS prenikli radikálne elementy, ktoré by slovenské autonomistické hnutie nasmerovali nielen na separatizmus, ale aj na spoluprácu s dvoma maďarskými opozičnými stranami a neskôr so ZMS. Tieto maďarské kalkulácie mali však svoje slabiny, pretože mladá „radikálna" reprezentácia HSĽS odchovaná čekoslovenskými školami bola celkovým svojím postojom naladená protimaďarsky a v zápase o dosiatnutie ľudáckej autonómie nehľadala pomoc v maďarskej politike, ale v nacistickom Nemecku.

---

[8] BORSODY, I.: c. d., s. 39.

Vo všeobecnosti promaďarská orientácia na Slovensku v tridsiatych rokoch mala už skromný počet svojich prívržencov. U mladej slovenskej generácie vychovanej v československom duchu maďarofilstvo nemalo žiadne korene. Starú ideológiu svätoštefanskej koruny a maďarské politické záujmy reprezentovali jedine zvyšky bývalých maďarónskych kruhov, časť staršieho kňazstva a staršej inteligencie, ktoré celkovými svojimi názormi boli zviazaní s duchom starého Uhorska. Silná promaďarská orientácia sa prejavovala vo väčšine maďarskej inteligencie a sčasti u hungarizovanej nemeckej menšiny.[9]

Keďže sa maďarskej vládnej politike nepodarilo utvoriť na Slovensku promaďarskú bázu, ani výrazne vplývať na ľudácke hnutie, bola odkázaná opierať sa aj ďalej o slovenskú iredentu a rôzne emigrantské skupiny. Z nich treba spomenúť *F. Jehličku, V. Dvorčáka, Ľ. Bazovského, F. Ungera, Ľ. Koreňa, J. Podhradského, E. Flachbarta, Ö. Tarjána* a iných. Títo však nereprezentovali jednotný politický tábor a líšili sa tak svojimi názormi na budúce postavenie Slovenska v maďarskom štáte, ako aj politickou taktikou v otázkach ďalšieho postupu. Navyše slovenskú iredentu priamo finančne podporoval horthyovský režim a vo svojej činnosti verne presadzovala revizionistickú koncepciu vládnej politiky. Pre slovenskú iredentu bolo charakteristické, že bola odtrhnutá od politických pomerov na Slovensku, nemala tu žiadnu oporu a nestála za ňou žiadna politická sila.

Nástup nacistov v Nemecku otvoril pre maďarskú revíziu novú kapitolu. Skončilo sa obdobie vyčkávania a príprav revizionistických koncepcií. Maďarská vládna politika od roku 1933 nasadila ostrý revizionistický kurz a bola presvedčená, že nacistické Nemecko bude tou silou, ktorá dopomôže Maďarsku presadiť územnú revíziu. Vláda *Gy. Gömbösa,* ktorá nastúpila v októbri 1932, neskrývala svoje sympatie s nacistickými plánmi „prebudovania" Európy a hneď nadviazala s nacistickým režimom úzke politické kontakty. Maďarský premiér už v júni 1933 rokoval

---

9 DÉRER, I.: Slovenský vývoj a ľudácka zrada. Praha 1946, s. 178.

s Hitlerom a stretol sa u „führera" s mimoriadnym pochopením pre maďarskú revíziu. Spoločná protičeskoslovenská línia, na ktorej sa dohodli, sa až do Mníchova zásadne nezmenila. Hitler i Gömbös zhodne konštatovali, že Československo je najslabším miestom v povojnovom usporiadaní strednej Európy, ktoré treba vnútorne rozložiť, medzinárodne izolovať a napokon zlikvidovať. Tým, že Hitler prisľúbil plnú podporu maďarskej revízii proti Československu,[10] Maďarsko v nasledujúcom období stratilo záujem o rokovanie s Československom a spoliehalo sa výlučne na nacistickú mocenskú a vojenskú pomoc proti republike.

Gömbösov úspech u Hitlera veľmi negatívne ovplyvnil ďalší vývin československo-maďarských vzťahov vo všeobecnosti a maďarskej politiky k Slovensku osobitne. Po roku 1933 v Budapešti ešte viac než v predchádzajúcich rokoch nasadili všetky spôsoby, aby cez Slovensko zasadili smrtelný úder republike. V úsilí destabilizovať pomery na Slovensku a prehĺbiť nezhody medzi českým i slovenským národom, maďarská vláda zriadila blízko slovenských hraníc nové rozhlasové stanice a povolila uzdu revizionistickej a iredentistickej propagande. Zvýšený záujem o Slovensko prejavila aj maďarská tlač, ktorá sa usilovala charakterizovať Slovensko ako krajne napätú časť republiky, kde vládnu neudržateľné národnostné, sociálne a politické pomery. Každú vnútropolitickú opozíciu interpretovala ako nesúhlas a vzburu proti československému štátu. Vidinou autonómie sa usilovala lákať Slovákov späť do Maďarska, pričom zamlčovala, že slovenská menšina v Maďarsku nedisponuje najzákladnejšími národnostnými právami. Celkovo bola táto propaganda zameraná proti československej štátnosti a na posilnenie slovenského separatizmu.[11]

Pre maďarskú politiku po roku 1933 je charakteristické, že s otázkou revízie predstupuje pred širokú medzinárodnú verejnosť a usiluje sa pre ňu získať sympatie aj u západných veľmocí.

---

[10] DEÁK, L.: Zápas o strednú Európu 1933–1938. Bratislava 1986, s. 62.

[11] AFMZV, PS č. 61 Budapešť 25. 11. 1933; Tamže, PS, Periodická IV Budapešť 18. 9. 1933.

Do rámca tejto revizionistickej kampane zapadla aj iredentistická akcia *F. Jehličku* a *V. Dvorčáka*, ktorí v júli 1933 utvorili v Ženeve „Slovenskú radu". Táto svojou pôsobnosťou v sídle Spoločnosti národov mala za cieľ ovplyvňovať medzinárodnú verejnosť o pomeroch na Slovensku a v zahraničí propagovať myšlienku jeho odtrhnutia od republiky.[12] Svojím rozsahom ešte väčší význam mala revizionistická akcia, ktorá vyšla z podnetu I. Bethlena. Bývalý maďarský premiér a „spiritus movens" maďarskej zahraničnej politiky uskutočnil koncom roku 1933 prednáškové turné po Anglicku, kde sa usiloval získať podporu pre maďarskú revíziu u britských vládnych kruhov, tých kruhov, ktoré čoraz viac zaujímali kľúčovú pozíciu vo vývine európskej politiky. Celkovo Bethlen maďarský revizionistický program predstavil tak, akoby išlo o riešenie širších problémov medzi Maďarskom a nástupníckymi štátmi a o poskytnutie pomocnej ruky Maďarska v duchu sebaurčovacieho práva všetkým tým národnostiam v strednej Európe, ktoré po opustení Uhorska údajne nenašli uplatnenie svojich národných túžob. Na adresu Slovákov maďarský politik v Londýne vyhlásil, že v prípade ich návratu do Maďarska, získajú autonómiu, o ktorú už dlho bojujú v rámci československého štátu.[13]

V priebehu rokov 1934–1935 nastal v Maďarsku určitý odliv revizionistického nadšenia, čo súviselo s novými momentmi v európskej politike. V prvom rade treba spomenúť ideu kolektívnej bezpečnosti a v jej rámci projekt Východného paktu, ktorý si kládol za cieľ udržanie mieru a skrotenie agresívnych plánov nemeckého imperializmu. I keď Východný pakt nebol priamo namierený proti maďarskej revízii, svojím významom silne vplýval na maďarskú politiku v smere tlmenia revizionistických ašpirácií voči Československu. Po postupnom uvoľnení a zlepšovaní vzťahov medzi Francúzskom a Talianskom – druhou veľmocou,

---

[12] KRAMER, J.: Iredenta a separatizmus v slovenskej politike 1919–1938. Bratislava 1957, s. 221–222.
[13] Bethlen István angliai előadásai..., s. 50–51; Zahraniční politika, Praha 1934, s. 147–152.

s ktorou Maďarsko rátalo pri podpore revízie – maďarskí oficiálni činitelia sa netajili názorom, že v najbližšom období revízia nemá šance na úspech.

Až v novej medzinárodnej situácii, ktorá nastala na jar 1936 po rýnskej kríze, maďarské vládne kruhy videli priaznivejšie podmienky na opätovné nastolenie otázky revízie v širších medzinárodných súvislostiach. Gömbösova vláda privítala posilnenie nemeckých pozícií v strednej Európe a ďalej upevnila spoločnú protičeskoslovenskú líniu s Berlínom. V Budapešti s veľkým záujmom sledovali vyhlásenia významných nacistických politikov, ktorí v tomto čase už otvorene hovorili o skorom zániku republiky, čo v maďarskej politike upevnilo presvedčenie, že Československo bude zničené vojenskou silou Nemecka.

V dôsledku novej situácie aj Maďarsko od roku 1936 zmenilo svoju taktiku voči Československu. Úmerne s mocenskými presunmi v Európe a so stále väčším zdôrazňovaním v nacistickej politike otázky nemeckej menšiny v republike, aj maďarská politika nevysúvala do popredia územnú revíziu, ale zahaľovala ju do problému maďarskej menšiny. Podľa nemeckého príkladu aj z Budapešti naliehali na obidve maďarské menšinové strany na Slovensku, aby sa čo najskôr zjednotili, čo sa aj stalo v polovici roku 1936. Tak vznikla ZMS, do ktorej maďarské vládne kruhy vkladali podobné nádeje ako Nemecko do Henleinovej SdP. Nezávisle od toho, že až do anexie Rakúska sa nepodarilo dosiahnuť úzku spoluprácu medzi SdP a ZMS, si vodcovia maďarskej menšiny na Slovensku, na pokyn maďarskej vlády, osvojili novú nemeckú taktiku menšinovej politiky v Československu. Jej zásada spočívala v tom, aby sa dezintegrácia republiky dosiahla prostredníctvom stupňovania menšinových požiadaviek až do úplného rozkladu československého štátu. V tejto taktike významnú úlohu na Slovensku mala zohrať práve zjednotená strana. Po zjednotení obidvoch maďarských opozičných strán a po určení novej menšinovej politiky, maďarská vláda vypracovala aj nový postup voči Slovensku. V zmenenej situácii v Budapešti kalkulovali s tým, že zjednotením maďarských menšinových strán si tieto získajú väčší vplyv v ľudáckych kruhoch, čo dopo-

21

môže k dlho očakávanej spolupráci s HSĽS a konkrétne k spoločne utvorenému autonomickému bloku. Zmena nastala aj v tom, že maďarská politika vo vzťahu k Slovensku navonok nekládla dôraz na územnú revíziu a nechcela forsírovať slovenskú otázku ako osobitný problém, ale riešiť ju v rámci menšinového problému a v úzkej súčinnosti s politickým postupom maďarskej menšiny na Slovensku. Tým sa malo dosiahnuť zmiernenie trecích plôch a tak utvoriť priaznivé podmienky na zblíženie medzi HSĽS a ZMS.

Tieto maďarské plány sa rodili len pomaly a postupne. Na jar 1937 spolupráca medzi ľudáckym vedením a maďarskými menšinovými stranami ešte absentovala a podľa maďarského konzula v Bratislave vzájomné styky neprekročili zdvorilostné kontakty,[14] čo Budapešť ani zďaleka neuspokojovalo. Zlom nastal až vo februári 1938, čo súviselo tak s celkovým medzinárodným vývinom a postavením Československa v strednej Európe, ako aj s výrazným posunom ľudáckeho vedenia doprava a s vedúcou pozíciou SdP pri utváraní autonomistického bloku v republike.

Medzitým došlo ešte k jednej významnej udalosti, ktorá značne ovplyvnila postoj maďarskej politiky k Slovensku. Maďarskí politici *K. Darányi* a *K. Kánya* v novembri 1937 navštívili Nemecko a rokovali s nacistickými predstaviteľmi. Hitler opäť vyhlásil, že po zlikvidovaní Československa Maďarsko môže rátať s obnovením predvojnových hraníc, čo by znamenalo, že Slovensko a Zakarpatská Ukrajina pripadne späť k Maďarsku.[15] Tieto sľuby a odhodlanie nacistov v krátkom čase vymazať československý štát z mapy Európy ešte viac posilnilo v maďarských vládnych kruhoch plány na ovládnutie a podmanenie východnej časti republiky.

---

14 OL, Küm. res. pol. 1937–7–219, Bratislava 31. 3. 1937.
15 ÁDÁM, M.: Magyarország és a kisantant a harmincas években. Budapest 1968, s. 170–171.

II. PRED MNÍCHOVOM

1. Všetky sily proti Československu

Násilný akt nacistického Nemecka v polovici marca 1938 voči Rakúsku, ktorý viedol k jeho zániku, vniesol nové momenty aj do politiky horthyovského Maďarska vo vzťahu k Československu vo všeobecnosti a Slovensku osobitne. Napriek tomu, že maďarská verejnosť, hospodárske kruhy i značná časť politikov prejavovali obavy z dôsledkov susedstva mohutnej nacistickej ríše, najmä jej ďalšej expanzie, oficiálni činitelia urobili všetko, aby upokojili rozbúrenú hladinu verejnosti. Kým regent *M. Horthy* 3. apríla 1938 v rozhlasovom prejave vyhlásil, že splynutie Rakúska s Nemeckom znamená iba zjednotenie „dvoch starých priateľov" Maďarska, minister zahraničných vecí sa v parlamente i pred československým vyslancom usiloval popierať a bagatelizovať nacistické nebezpečenstvo pre suverenitu Maďarska.[1]

Hlavný dôvod, prečo maďarské vládne kruhy neboli v stave realisticky hodnotiť situáciu v strednej Európe po anexii rakúskeho štátu bola vízia budúcej revízie a s ňou spojené územné ašpirácie maďarskej politiky voči Československu. Keď *H. Göring*, jeden z vodcov nacistov a pruský ministerský predseda, 12. marca 1938 maďarskému vyslancovi oznámil, že po Rakúsku prí-

---

[1] OL, Küm. pol. 1938–7/7–1045. Rozhovor K. Kánya–M. Kobr 29. 3. 1938 v Budapešti; ÁDÁM, M.: Magyarország és a kisantant..., s. 196–197.

de na rad Československo,[2] v Budapešti boli presvedčení, že dlho očakávaný čas na revíziu sa blíži. Pre maďarskú oficiálnu politiku z toho vyplynul záver, aby urobila patričné vojenské opatrenia, ktoré by po boku Nemecka zabezpečili Maďarsku miesto pri vojenskej likvidácii republiky. Krátko na to maďarský premiér K. Darányi vo svojom prejave v Györi vyhlásil nový zbrojný program vlády, maďarský generálny štáb vypracoval tajný plán na obsadenie Slovenska a celkovo maďarské vládne kruhy boli ochotné v úzkej súčinnosti s Nemeckom a Poľskom podieľať sa tak na vnútornej deštrukcii republiky, ako aj na jej zahraničnopolitickej izolácii.

Práve na jar 1938 došlo tiež k vyjasneniu stanovísk medzi varšavskou a budapeštianskou vládou ohľadne Slovenska, ktorého otázka zostala otvorená aj po návšteve regenta M. Horthyho v Poľsku vo februári 1938. Keď začiatkom marca 1938 K. Kánya, maďarský minister zahraničných vecí, ubezpečil poľskú vládu, že Maďarsko berie na seba aj vojenské riziko akcií proti Československu,[3] Poľsko bolo odhodlané rozhodnejšie podporovať maďarské ašpirácie na Slovensko a Zakarpatskú Ukrajinu.[4] Tým sa zmiernili obavy poľskej politiky z prílišnej jednostrannej orientácie Maďarska na Nemecko, ktorá by mala za následok nemeckú mocenskú prevahu v Podunajsku a z čoho logicky vyplývalo veľké nebezpečenstvo aj pre samo Poľsko.

Keďže v Budapešti pri koordinácii protičeskoslovenských akcií najväčší dôraz kládli na Nemecko, pozorne sledovali postup a taktiku nacistov a dali Berlínu na vedomie, že Maďarsko nechce vypadnúť z delenia koristi, ani z účasti pri likvidácii republiky. Preto D. Sztójay, maďarský vyslanec v Nemecku, dostal koncom marca 1938 inštrukcie, aby vzniesol otázku spolupráce maďarského a nemeckého generálneho štábu, pričom mal argu-

---

[2] ÁDÁM, M.: Magyarország és a kisantant..., s. 204.

[3] DIMK, I., s. 615–616, č. 389; AFMZV, ZÚ Budapešť, krab. 21 č. 367, Budapešť 17. 3. 1938.

[4] DTJSZ, IV., s. 55.

mentovať, že rýchly vývin udalostí si vyžaduje spoločný postup a dohodu v určitých otázkach. „Treba počítať s eventualitou – písal K. Kánya do Berlína – že vyriešiť českú otázku bude možné len cestou vojenského zásahu".[5] Táto prílišná horlivosť maďarských politických a vojenských činiteľov neviedla k úspechu, pretože nacistické vedenie nebolo ochotné prezradiť svoje vojenské plány, ani zasvätiť maďarské politické kruhy do všetkých podrobností protičeskoslovenských akcií.

Od jari 1938 v maďarských vládnych kruhoch prevládal aj iný názor, podľa ktorého nacistická politika kladie dôraz na postupnú vnútornú eróziu československého štátu, t. j. na využitie odstredivej politiky Henleinovej SdP a na rozbíjačskú taktiku ostatných menšinových strán, ktoré na určitom stupni mali utvoriť vhodné podmienky na zásah zvonka. Z týchto úvah potom plynul záver, že maďarská politika sa tak isto musí aktívne zapojiť do tohto rozkladného procesu v republike, pričom však nesmie zanedbať ani prípravy na prípadný vojenský zásah, ak by k tomu „dozreli" všetky vnútorné a zahraničné podmienky.[6]

Pokiaľ išlo o praktické riešenie maďarských revizionistických nárokov voči Československu, Darányiho vláda si bola vedomá, že kľúč k ich rozuzleniu treba hľadať v Berlíne. To jej dalo podnet, aby sa oficiálne obrátila na *A. Hitlera* a požiadala ho, aby sa vyjadril, ako si Nemecko predstavuje delenie Československa, na ktoré územie si robí nárok a či kancelár stojí za svojimi predchádzajúcimi sľubmi. Z aspektu maďarskej politiky bolo dôležité vyjasniť si túto otázku, pretože podľa princípu „völkisch", ktorý nacisti uplatňovali voči Československu, Nemecko neprejavovalo záujem o Slovensko a Zakarpatskú Ukrajinu. Zároveň však na základe toho istého princípu ani Maďarsko nemohlo ašpirovať na toto teritórium. Preto maďarskej vláde sa zdala výhodnejšia cesta, keď pred Hitlerom neargumentovala historickým právom, ale jeho sľubom, t. j. už predchádzajúcou dohodou, ktorú sa Nemec-

---

[5] DIMK, II., s. 317, č. 146.
[6] ÁDÁM, M.: Magyarország és a kisantant..., s. 205.

ko zaviazalo už skôr akceptovať. Za týmto účelom *D. Sztójay* dostal 11. apríla 1938 príkaz z Budapešti, aby zistil na nemeckom ministerstve zahraničných vecí, či Hitler trvá na svojom vyhlásení z novembra 1937, ktoré dal maďarským štátnikom pri príležitosti ich návštevy v Nemecku. Vtedy totiž podľa maďarského záznamu nemecký kancelár poprel správy o nemeckých ašpiráciách na Slovensko a vyhlásil, že „si nerobí nárok ani na Bratislavu, ani na iné časti Slovenska. Želá si silné Maďarsko a spoločné maďarsko-nemecké hranice" ... .[7] Aj keď tieto slová vyznievali dosť sľubne a Hitler ich v apríli a máji 1938 znova potvrdil[8], neznamenali ešte jeho posledné rozhodnutie. Nasvedčuje tomu aj fakt, že keď maďarská vláda naliehala, aby sa medzi vojenskými odborníkmi vyjasnili otázky vzájomnej spolupráce pri delení republiky, narazilo to v Berlíne na odpor tak v politických, ako aj vo vojenských kruhoch. Keď sa maďarská strana sťažovala v uvedenej veci u *J. Ribbentropa* na ministerstve zahraničných vecí, tento odpovedal slovami: „Ešte nie sme tak ďaleko, aby sme hovorili o delení".[9] To znamená, že problém okolo delenia republiky a otázku Slovenska sa Darányho vláde nepodarilo „uspokojivo" vyriešiť a Hitlerove sľuby zostali visieť vo vzduchu. Celý problém zostal aj ďalej otvorený a nacisti ho chceli riešiť ad hoc podľa vývinu medzinárodnej situácie, o čom svedčia aj ďalšie fakty.

Ako je známe, nacistická politika nebola jednotne riadená. V určitých politických kruhoch sa od anšlusu Rakúska stále viac uplatňovala téza, aby nacistické Nemecko neponechalo východnú časť republiky na pospas Maďarsku, ale začlenilo ju do nemeckej sféry. V máji maďarská vláda získala z Ríma správu, že Nemecko nehodlá ponechať Slovensko Maďarsku, pretože by to znamenalo jeho posilnenie a postavenie prekážky nemeckým záujmom na východe. Podobné informácie prichádzali aj z Poľ-

---

[7] DIMK, II., s. 326–327, č. 152.

[8] OL, Küm, res. pol. 1938–17–748/248/. Správa do Varšavy 5. 4. 1938; Tamže, Küm, res. pol. 1938–7–473, Praha 24. 5. 1938; DIMK, II., s. 318, č. 147; Německý imperialismus proti ČSR 1918–1939. Praha 1962, s. 291.

[9] ÁDÁM, M.: Magyarország és a kisantant..., s. 205.

ska.[10] Podobne v lete 1938 i vedenie SdP zastávalo názor, že treba odmietnuť myšlienku pripojenia Slovenska k Maďarsku a maďarské územné ašpirácie treba uspokojiť len na etnickom princípe. Slovensko by malo ostať samostatné a pod nemeckou kontrolou. „Takýmto spôsobom by Slovensko a Karpatská Ukrajina utvárali bariéru, ktorá by oddeľovala Poľsko od Maďarska a tvorili pre nemeckú ríšu most na východ", znelo stanovisko SdP.[11] Rovnako i vedenie nacistickej armády sa stavalo proti maďarským nárokom na slovenské teritórium a uprednostňovalo plán autonómie Slovenska v rámci republiky a pod nemeckým patronátom.[12] V neprospech Maďarska vyznievalo aj stanovisko vedenia HSĽS, ktoré sa netajilo svojím odmietavým postojom k maďarskej revízii a neraz to zdôrazňovalo pred poľskými politikmi, pred henleinovcami a vo Viedni, cez ktorú, po anšluse Rakúska, chceli ľudáci ovplyvniť nacistický postoj k Slovensku. Vo vedení henleinovcov museli brať do úvahy aj okolnosť, že pričlenenie Slovenska k Maďarsku by skôr oslabilo odstredivé sily v HSĽS než pomáhalo rozbíjať republiku. Napriek tejto nejasnosti, maďarské oficiálne kruhy živili v sebe myšlienku, že pri delení Československa dostanú od Hitlera Slovensko ako dar.[13]

Vzhľadom na to, že nacistické vedenie kládlo mimoriadny význam na deštrukčnú činnosť Henleinovej SdP, podobnú taktiku zvolila voči republike aj maďarská politika. Napriek mnohým nezhodám, ktoré dlho pretrvávali medzi maďarskými opozičnými stranami a henleinovcami, podarilo sa vo februári 1938 počas návštevy zástupcov Henleina v Budapešti dosiahnuť principiálnu dohodu s *K. Darányim, I. Behtlenom a K. Kányom* vo veci

[10] OL, Küm, pol. 1938–7–/24–1772/144/, Varšava 23. 5. 1938; Tamže, Küm. pol. 1938–7/7–2347/199/, Varšava 15. 7. 1938; DIMK, II., s. 359, č. 177; DTJSZ, IV, s. 98 a 100.

[11] Německý imperialismus proti ČSR, s. 445.

[12] OL, ME, Flachbart E. gyűjteménye, 1 cs., g. dosszié.

[13] A Wilhelmstrasse..., s. 268–269, č. 121; OL, Kozma M. iratai, 9cs. Adatgyűjtemény 1938/I. Stanovisko vyslanca J. Wettsteina na situáciu v Československu v lete 1938.

spoločného postupu menšinových strán v Československu, kde sa stanovil konečný cieľ – vnútorná dezintegrácia republiky. Maďarská oficiálna politika a ňou dirigovaná ZMS opustila staršiu koncepciu „praobyvateľov" Slovenska a osvojila si myšlienku formovania „autonomistického frontu" v republike na etnickom princípe. Na rozdiel od idey „praobyvateľov", ktorá budovala už na prekonanej regionálnej, duchovnej a historickej „jednote" Slovenska a mala za cieľ odstrániť maďarsko-slovenské rozpory, aby sa tak utvorili predpoklady na návrat celého Slovenska do rámca svätoštefanskej koruny, nový blok bol zameraný proti československej štátnosti, pričom jednotlivé autonómne oblasti menšín mali vyústiť do totálneho rozkladu republiky.[14]

Z hľadiska maďarskej koncepcie tento „autonomistický front" obsahoval dva nepriaznivé momenty. Na jednej strane vyžadoval od Budapešti opustenie princípu integrity bývalých uhorských hraníc a prijatie etnických zásad, s čím sa maďarská politika nevedela zmieriť a na druhej strane ľudáci k ZMS nemali byť vo vzťahu podriadeného, ale naopak, ako vedúci činiteľ autonomistického hnutia na Slovensku, pretože len tak mohlo dôjsť vo vedení HSĽS k prevahe excentrických síl a súčasne prekaziť pokusy československej vlády získať ľudákov pre vstup do koaličnej vlády. Tak sa stalo, že hoci maďarské vládne kruhy mali k etnickému princípu podstatné výhrady a nikdy s ním nesúhlasili, museli sa s ním dočasne zmieriť. Darányiho vláda ho prijala ako prvú etapu revizionistického programu a v presvedčení, že keď dôjde k totálnemu rozkladu československého štátu alebo k vojenskému riešeniu Československa, bude možnosť vrátiť sa k realizovaniu revízie na historickom princípe a modifikovať aj otázku autonómie v rámci Maďarska.[15]

Po rozhovoroch henleinovcov v Budapešti maďarská vláda inštruovala vodcov ZMS na Slovensku, aby sa začlenili do „autonomistického frontu" pod vedením SdP, úzko koordinovali ak-

---

[14] ADAP, D. II., s. 105–108, č. 58, 59, 60; BORSODY, I.: c. d., s. 39–40.
[15] TILKOVSZKY, L.: c. d., s. 16–17.

cie, zamerané na vnútornú dezintegráciu republiky a súčasne podnikali kroky aj na získanie ľudákov, čo sa zakrátko stalo aj skutočnosťou. Uplynul iba krátky čas a *K. Henlein* 1. apríla 1938 dôverne informoval *J. Esterházyho*, úradujúceho predsedu ZMS, že na Hodžove návrhy v rámci národnostného štatútu bude odpovedať ďalšími požiadavkami. „Dohodu za každých okolností odsabotujeme, lebo je to jediný spôsob, ako možno čo najskôr rozbiť republiku", vyhlásil Henlein Esterházymu. Maďarská vláda sa s týmto postupom plne solidarizovala a odkázala vodcom maďarskej opozície na Slovensku, aby aj ZMS vypracovala program, ktorý by československá vláda nemohla prijať.[16] Za týchto okolností rozhodnutie československej vlády z konca marca 1938, na základe ktorého sa mal vypracovať po rokovaniach s menšinami nový národnostný štatút, bolo vopred odsúdené na neúspech a strácalo raison d'être. Z dohody medzi SdP a ZMS jednoznačne vyplývalo, že ľudákmi hlásaná politika spolupráce s menšinami bola nielen pochybná, ale priamo ohrozovala bázu československej štátnosti. Tento „autonomistický front" nemal nič spoločné s riešením postavenia menšín. Požiadavka autonómie bola len zámienkou a nástrojom, ktorým sa mala vnútorne rozhlodať republika. Bolo púhou naivitou, ak si vedenie HSĽS namýšľalo, že sa takto podarí – ako to vyhlásil *J. Tiso* v parlamente 29. marca 1938 – získať menšiny k pozitívnej práci na Slovensku.[17] Vyhlásenie J. Esterházyho v Slováku 27. februára 1938 o uznaní HSĽS za vedúcu silu pri presadzovaní autonómie na Slovensku a o zhodných cieľoch ZMS s ľudákmi pri utváraní spoločného autonomistického programu, ako aj na prvý pohľad neúprimne znejúce slová *G. Szüllőa v československom parlamente o „podpore slovenským bratom",[18]* bolo veľmi rafinova-

---

[16] ÁDÁM, M.: Magyarország és a kisantant..., s. 210.
[17] SIDOR, K.: Slovenská politika na pôde pražského snemu (1918–1938). II., Bratislava 1943, s. 219.
[18] Slovák 31. 3. 1938.

nou taktikou ako zakryť deštrukčný a rozbíjačský cieľ „autonomistického frontu" v republike.

Paralelne s destabilizačnou činnosťou maďarskej politiky vnútri československého štátu mohutnela aj revizionistická kampaň v domácom maďarskom prostredí a jej propagácia v zahraničí. Oficiálna vládna tlač a propaganda sa obšírne rozpisovali o kritickej situácii, v ktorej sa ocitlo Československo po anšluse Rakúska. Dokazovali, že československý štát speje k zániku, pretože zo všetkých strán je obklopený nepriateľmi a vnútri zápasí s neprekonateľnými ťažkosťami. Blíži sa čas, keď Slovensko a Zakarpatská Ukrajina sa budú môcť vrátiť do lona maďarského štátu.[19] V tejto narastajúcej protičeskoslovenskej kampani mimoriadne *miesto zaujímalo Slovensko. B. Imrédy*, ktorý sa v polovici mája 1938 ujal vedenia novej maďarskej vlády, pred československým vyslancom *M. Kobrom* sa celkom otvorene priznal, že vzhľadom na historický význam a citové vzťahy, ktoré prechovávajú maďarské politické kruhy k Slovensku, toto územie zaujíma v maďarskej politike osobitnú dôležitosť.[20] Z toho logicky vyplývalo, že vládna propagandistická mašinéria veľmi pozorne sledovala pomery a vývin na Slovensku a značne skreslene a tendenčne informovala maďarskú verejnosť o situácii v Československu. Spolupráca ľudákov s ZMS v rámci „autonomistického frontu" sa interpretovala ako dôkaz definitívneho rozkladu štátu a rozchodu českého a slovenského národa i ako snaha „všetkých

---

[19] V tejto súvislosti je veľmi charakteristický článok Osud Slovenska a anšlus v časopise Magyarság 17. 4. 1938 z pera plukovníka Tombora. Tento po opísaní veľmi nepriaznivej vojenskej situácie Československa po anexii Rakúska konštatuje, že Maďarsku sa otvárajú perspektívy na uplatnenie „historického" práva na celé Slovensko a Zakarpatskú Ukrajinu. Preto by bolo „opodstatnené", keby súčasne s nemeckým útokom, ale nezávisle od neho, vtrhla na Slovensko aj maďarská armáda. „Každý Maďar túto požiadavku pokladá za prirodzenú a samozrejmú." Ďalej upozorňuje na nebezpečenstvo protiútoku zo strany malodohodových štátov a apeluje na Nemecko, Taliansko a Poľsko, aby v prípade maďarského útoku na Československo paralyzovali juhoslovanské a rumunské nebezpečenstvo.
[20] AFMZV, PS č. 38 Budapešť 21. 4. 1938; Tamže, PS č. 48/4 Budapešť 8. 6. 1938; Tamže, ZÚ Budapešť, krab. 21 č. 345, Budapešť 8. 4. 1938.

Slovákov" vrátiť sa do lona svätoštefanskej koruny. Vývin udalostí na Slovensku opisovala ako dôsledok „krutého českého teroru", ktorý sa pod blížiacim tlakom Nemecka skoro skončí a „oklamaní" Slováci nájdu vyslobodenie v maďarskom štáte. Maďarská propaganda za aktívnej pomoci ZMS, maďarského rozhlasu, letákov a rôznymi inými spôsobmi prenášala deštrukčnú činnosť aj na Slovensko. Československé štátne orgány mali informácie o šírení poplašných správ, ktorými sa sledovala destabilizácia a nespokojnosť tak maďarského obyvateľstva na juhu republiky, ako aj celkových pomerov na Slovensku. Osobitné miesto zaujímali také informácie, ktoré sa týkali príprav vojenských vzbúr, resp. hovorilo sa v nich o plánoch ako treba vyvolať nepokoje, aby západné veľmoci boli postavené pred fait accompli.[21] Celá táto kampaň riadená z Budapešti najvyššími oficiálnymi miestami sledovala dvojaký cieľ; jednak mala pripraviť maďarskú verejnú mienku na blízku realizáciu územnej revízie, nevynímajúc ani eventualitu vojenského zásahu proti Československu a jednak dokázať pred zahraničím nutnosť korigovania Trianonskej zmluvy v prospech Maďarska, a tak pred západnými veľmocami i Nemeckom zdôvodniť nárok na obnovenie „historických" hraníc. Okrem toho od jari 1938 sa v maďarskej politike začalo viac než predtým zdôrazňovať, že pri riešení československého problému a pri budúcom usporiadaní Podunajska popri nemeckom probléme sa musia brať do úvahy aj teritoriálne požiadavky Maďarska, pretože bez nich nemožno dosiahnuť stabilizáciu pomerov v stredoeurópskom priestore. Táto argumentácia bola určená najmä britským a francúzskym kruhom, ktoré pro-

---

[21] Od jari 1938 Krajinskému úradu v Bratislave dochádzali informácie, podľa ktorých Česi sú na Slovensku „bezmocní", pretože údajne Slováci „držia" s Maďarmi a mnohí slovenskí politici vyhľadávajú styky s maďarskými vedúcimi činiteľmi. Podľa inej správy Hitler vraj chce vrátiť „stratené" územie Maďarsku a čaká len na vhodnú príležitosť. Určití maďarskí úradníci už boli vyzvaní vládnymi miestami, aby sa nevzďaľovali, lebo v najbližšom čase budú potrební na obsadenie štátnej správy na Slovensku. – ŠÚA SSR, KÚ, krab. 473, č. 25910 a 29645; Tamže, KÚ, krab. 254, č. 43446; AFMZV, ZÚ Budapešť, krab. 37, č. 81719 a č. 129332.

31

blém maďarskej revízie ignorovali a odmietali ho súčasne riešiť s otázkou nemeckej menšiny v Československu.

Najprudšiu protičeskoslovenskú kampaň rozpútali organizácie všetkých odtieňov, ktoré niesli na svojom štíte program revízie Trianonskej zmluvy. Na čele týchto akcií stála Revizionistická liga a veľké množstvo rôznych iredentistických spolkov. Letáková akcia a demonštrácie proti republike, ktoré začiatkom apríla 1938 organizovalo nacionalistické združenie Turul nadobudli taký urážlivý protičeskoslovenský tón, že československá vláda musela v Budapešti viackrát intervenovať.[22] Ešte väčší dosah mala 20-tisícová manifestácia, zvolaná Revizionistickou ligou do Budapešti na 24. apríla 1938, kde hlavným rečníkom bol jej predseda a člen maďarského parlamentu F. Herceg. Zmysel tohto podujatia spočíval v tom, že pozornosť medzinárodnej verejnosti sa mala obrátiť na odčinenie „nespravodlivosti" voči Maďarsku, pričom sa proti Československu vznieslo obvinenie, že je „bránou boľševizmu" do strednej Európy a teda ohrozuje mier a stabilitu tejto oblasti. Manifestácia sa vyslovila aj na „obranu" Slovákov a žiadala pre nich „sebaurčovacie právo" a umožniť im návrat do lona maďarského štátu.[23]

V rozbujnelom revizionistickom ošiali, prirodzene, nemohla chýbať ani jehličkovsko-dvorčákovská iredenta. Začiatkom februára 1938 obaja navštívili Rím, kde pred talianskym ministrom zahraničných vecí G. Cianom zdôvodňovali, prečo Slováci „nechcú" ostať v republike a odmietajú sa pripojiť k Poľsku a Nemecku. Dovolávali sa podpory Talianska pri úsilí „Slovenskej rady" o pripojenie Slovenska k Maďarsku.[24] V polovici apríla 1938 F. Jehlička zasa prostredníctvom maďarskej tlače vyzýval verej-

---

[22] OL, Küm, pol. 1938–7/7–1390; Tamže, Küm. pol. 1938–7/7–1168. Rozhovor Gy. Bakách-Bessenyey–P. Fíša 6. 4. 1938; AFMZV, ZÚ Budapešť, krab. 42, f. 985 č. 222.
[23] AFMZV, PS č. 39, Budapešť 25. 4. 1938; ŠÚA-SSR, KÚ, krab. 275, č. 26463; Pesti Hirlap z 26. 4. 1938.
[24] OL, Küm, res. pol. 1938–65–168. Správa F. Jehličku a V. Dvorčáka z cesty do Ríma, datované 15. 3. 1938.

nosť, aby v mene „spoločného maďarsko-slovenského osudu" podporila snahu „Slovenskej rady" o pripojenie Slovenska k Maďarsku a súčasne sa pokúšal aktivizovať svoju politiku aj na Slovensku. Cez Viedeň hľadal kontakt s vodcami ľudákov s cieľom sprostredkovať kontakt medzi HSĽS a Budapešťou, prípadne kanalizovať ľudácke hnutie pod svoj vplyv, ale ani v jednom, ani v druhom prípade nedosiahol žiaden pozitívny výsledok.[25]

Darányiho vláda sa všemožne usilovala prispieť svojím dielom aj k medzinárodnej izolácii republiky. Robila všetko, aby eliminovala malodohodové spojenectvo a v jeho rámci sa usilovala oddeliť Československo od druhých dvoch spojencov, pričom najväčší dôraz kládla na dosiahnutie separátnej dohody s Juhosláviou. Najmä od jari 1938 priamo i prostredníctvom Berlína a Ríma navrhovala Belehradu „definitívne" uznať potrianonské hranice s Juhosláviou, ak Stojadinovićova vláda na odvetu sa dezinteresuje o malodohodové spojenectvo a najmä zriekne sa vojenského záväzku pomoci Československu v prípade jeho konfliktu s Maďarskom.[26] Keďže sa tento pokus nepodaril, Maďarsko začalo druhé protičeskoslovenské kolo tento raz prostredníctvom rokovaní s celou Malou dohodou. Tu na prvé miesto maďarská vláda vyzdvihla problém maďarských menšín v troch susedných štátoch, pomocou ktorého chcela vyradiť československú politiku z rokovania. Len čo na jar 1938 československá vláda prikročila k vypracovaniu nového národnostného štatútu, v Budapešti pod zámienkou vyčkania až do jeho dokončenia odmietli meritórne rokovať s Československom v nádeji, že sa tak podarí dosiahnuť dohodu iba s Juhosláviou a Rumunskom. Ani tento manéver však Darányiho vláde nevyšiel. Začiatkom mája 1938 na schôdzi malodohodových ministrov v rumunskej Sinai juhoslovanská a rumunská vláda ubezpečili Československo, že hoci budú rokovať s Maďarskom o procedurálnych otázkach, týkajúcich sa maďarskej minority, definitívnu dohodu podpíšu len

---

[25] AFMZV, PS periodická II Budapešť 1938; AAN-MSZ, 5454, č. 11/C/23, Bratislava 11. 4. 1938.

[26] VINAVER, V.: Jugoslavija i Madjarska 1933–1941. Beograd 1976, s. 272.

spoločne s československou vládou. Rovnako ubezpečili Prahu, že nezávisle od rokovania s Maďarskom malodohodové záväzky aj naďalej zostávajú v platnosti.[27] Za tejto situácie maďarskej politike nezostávalo iné východisko ako pokračovať v rokovaní so všetkými troma štátmi, vypracovať novú taktiku na izolovanie Československa v Malej dohode a hľadať nové kombinácie, ktoré by jej umožnili vojensky vystúpiť proti republike.

Československá politika si plne uvedomovala nebezpečenstvo, ktoré hrozilo Slovensku a Zakarpatskej Ukrajine z juhu, najmä keď horthyovské Maďarsko stále viac prehlbovalo protičeskoslovenskú spoluprácu s nacistickým Nemeckom a Poľskom, stupňovalo podvratné akcie a celkom otvorene vystupovalo s revizionistickými nárokmi na východnú časť republiky. Napriek tomu, že československá politika po anexii Rakúska hlavnú pozornosť sústredila na Nemecko, s Maďarskom sa usilovala dospieť k zlepšeniu vzájomných vzťahov, a to buď na bilaterálnom základe alebo v rámci malodohodového spojenectva. Československo navrhlo Maďarsku vzájomné zblíženie, ktoré by vychádzalo zo spoločnej obrany pred nacistickým nebezpečenstvom, pričom Praha rôznymi cestami odkazovala do Budapešti, že Československo v záujme zblíženia je ochotné urobiť „priateľské gesto". Myslelo sa najmä na uznanie práva Maďarsku na zbrojenie a na rozšírenie práv maďarskej menšiny v republike.[28] V prvom prípade išlo o utvorenie uspokojivého vzťahu medzi Malou dohodou a Maďarskom podpísaním dohody, v ktorej by tri malodohodové štáty priznali Maďarsku právo na zbrojenie a Maďarsko by na odvetu uzavrelo dohodu o neútočení na princípe Briand-Kelloggovho paktu. Druhá otázka sa týkala národnostného problému a konkrétne postavenia maďarskej menšiny v republike. Keďže podľa príkladu Nemecka aj maďarská vládna po-

---

[27] DEÁK, L.: Zápas o strednú Európu 1933–1938. Bratislava 1986, s. 241–242.
[28] AFMZV, TD č. 190/1938. Budapešť 14. 3. 1938; Tamže, PS č. 24 Budapešť 11. 3. 1938; OL, Küm. pol. 1938–7/7–1045. Rozhovor K. Kánya – M. Kobr 29. 3. 1938; Tamže, ME, Nemzetiségi osztály 1938, 51 cs., č. 15679, Budapešť 10. 4. 1938. Správa pre T. Patakyho.

litika chcela využiť maďarskú menšinu v Československu ako excentrickú silu na dezintegráciu československého štátu, pripravovaný národnostný štatút mal eliminovať tento zámer, pričom Praha dala na vedomie Budapešti, že jeho príprava, ako aj rokovanie so zástupcami ZMS sú vnútornou vecou štátu a teda nemôže byť predmetom rokovania s maďarskou vládou. Preto československá politika, aby odrazila nové intrigy Maďarska, oznámila koncom apríla 1938 obom malodohodovým štátom, že s Darányiho vládou nebude rokovať o novom pripravovanom národnostnom štatúte a nehodlá ním ani komplikovať malodohodovo-maďarské rokovania. Súčasne vyhlásila, že voči Maďarsku bude postupovať spoločne a v plnej zhode so spojencami.[29] Zámery a taktika maďarskej politiky neboli pre Prahu žiadnou tajnosťou. Keď sa K. Krofta, československý minister zahraničných vecí, 5. mája 1938 stretol s L. Bárdossym, maďarským zástupcom, na malodohodovej schôdzi v Sinai oprávnene vytýkal maďarskej vláde, že napriek najpriaznivejším podmienkam, v ktorých žije maďarská menšina v republike, Maďarsko predkladá Československu stále nové a nové požiadavky s jasným zámerom vyhnúť sa dohode a podobne ako Nemecko umelo využíva menšinovú otázku na stupňovanie napätia medzi obidvoma štátmi. Ak Maďarsko trvá na tom, aby československá vláda dala vyhlásenie na adresu maďarskej menšiny, Praha sa tomu nebude brániť, ale za predpokladu reciprocity. Československo je tak isto nespokojné s postavením slovenskej menšiny v Maďarsku a očakáva splnenie jej oprávnených požiadaviek.[30] O pár dní nato československý minister zahraničných vecí ešte dodal, že maďarská vláda odmieta rokovať s Československom, pretože ráta s jeho skorým rozpadom. Za tým účelom zvolila taktiku vyčkávania a stupňovania požiadaviek, ktoré majú zmariť akúkoľvek do-

---

[29] AFMZV, TO č. 433–434/38, Praha 26. 4. 1938.
[30] DIMK, II., s. 357–358, č. 176.

hodu.[31] Kroftovo konštatovanie odrážalo skutočný maďarský postoj voči Československu. Maďarská vládna politika nemala na mysli zlepšenie postavenia maďarskej menšiny v republike, ale zasahovanie do vnútorných vecí a posilňovanie deštrukčných síl, ktoré mali vnútorne rozložiť československý štát. Podľa príkladu SdP aj ZMS sa usilovala utvárať podmienky na prípadný vojenský zásah zvonka, resp. na zmedzinárodnenie problému maďarskej menšiny.

Ani nový kabinet B. Imrédyho, ktorý v polovici mája 1938 vystriedal Darányiho vládu, nevniesol zlepšenie do československo-maďarských vzťahov. Jeho zahraničná koncepcia, ktorú ďalej riadil K. Kánya, sa na rozdiel od predchádzajúcej vlády spočiatku viac pridržiavala politiky lavírovania a prispôsobovala sa novej situácii, keď iniciatívu pri riešení otázky nemeckej menšiny prevzala britská vláda. Imrédyho taktike imponovala politika ústupkov Západu, pretože utvárala predpoklady na získanie Slovenska bez vojenského zásahu. To však neznamenalo, že novej vláde bola cudzia myšlienka agresie proti Československu, najmä, ak by sa „priaznivo" vyvíjala situácia, t. j. ak by Západ ponechal republiku vlastnému osudu. K. Kánya pred G. Cianom, talianskym ministrom zahraničných vecí 18. júla 1938 počas rímskej návštevy maďarských štátnikov formuloval postoj Imrédyho vlády k Československu v tom zmysle, že Maďarsko musí byť pripravené na všetky eventuality. Vyhlásil: „Maďarsko vôbec nepomýšľa na to, aby samo zaútočilo na Československo. Ak by však došlo k nemecko-československému konfliktu, potom by Maďarsko nemohlo zostať bokom konfliktu, avšak na riešení českej otázky by sa priamo zúčastnilo len v tom prípade, ak by bolo stopercentne presvedčené, že Juhoslávia zostane neutrálna a nenapadne Maďarsko z tyla".[32]

---

[31] OL, Küm. res. pol. 1938–49–429. Rozhovor K. Krofta – J. Wettstein v Prahe 10. 5. 1938.

[32] DIMK, II., s. 502–503, č. 268; DEÁK, L.: c. d., s. 243.

Prakticky to znamenalo, že Imrédyho vláda predpokladala viaceré eventuality riešenia maďarských revizionistických požiadaviek. Na rozdiel od Darányiho koncepcie, ktorá po anšluse Rakúska najlepšie východisko videla vo vojenskom zásahu po boku Nemecka, Imrédy vzhľadom na veľké riziko, spojené s možnosťou zásahu Západu a Malej dohody, dával prednosť inému riešeniu. Keď májová mobilizácia v Československu a postoj Západu naznačili, že útok proti republike môže viesť k ďalekosiahlym dôsledkom pre nacistické Nemecko, v maďarskej vládnej politike prevládlo umiernené krídlo, ktoré dávalo prednosť najprv vnútornému rozkladu československého štátu a až potom vojenskému zásahu, aj to oneskorene po nemeckom útoku, keď pre Maďarsko bude jasná situácia a teda nebude nič riskovať. *P. Teleki* o tejto Imrédyho taktike povedal, že sa chcel stať „okrádačom mŕtvoly". Okrem toho sa v Budapešti kalkulovalo ešte s jednou eventualitou. Keď sa od leta 1938 už výrazne uplatňovala politika ústupkov voči Nemecku a bolo jasné, že pri riešení otázky nemeckej menšiny sa bude aplikovať etnický princíp, pričom francúzska a britská vláda dávali Maďarsku najavo, že príde na rad aj riešenie problému maďarskej menšiny v republike, Imrédyho politika rátala aj s možnosťou veľmocenského verdiktu na účet Československa. V Budapešti sa však ani v takomto prípade nechceli vzdať myšlienky „veľkej revízie", t. j. usilovali sa presadiť maximálny program revízie, teda podrobenia celého Slovenska a Zakarpatskej Ukrajiny.[33]

Ako je vidieť, koncepcia Imrédyho vlády voči republike sa v princípe nelíšila od Darányiho postoja a čo bolo nové, bola taktika, ktorá brala viac do úvahy rôzne eventuality budúceho vývinu, pričom za kľúčový faktor pokladala postoj Západu. Pre tento moment československá politika sľubne hodnotila nástup Imrédyho do čela maďarskej vlády a očakávala od nej oslabenie prí-

[33] TILKOVSZKY, L.: c. d., s. 19; HOENSCH, J. K.: Die Slowakei und Hitlers Ostpolitik. Köln-Graz 1965, s. 63.

lišnej jednostrannej orientácie na Berlín, hoci súčasne zaznievali aj hlasy, či to už nie je neskoro.[34] Ostré protičeskoslovenské zahrotenie novej vlády sa ukázalo už zakrátko v čase čiastočnej májovej mobilizácie. Na napätú situáciu, ktorú vyvolali správy o nemeckých vojenských opatreniach proti republike, Imrédyho vláda reagovala stiahnutím štyroch ročníkov a sústredením maďarskej armády k československým hraniciam. V prípade, že napätie prerástlo do lokálneho nemecko-československého konfliktu, v dôsledku ktorého by vznili aj vnútorné nepokoje a rozklad štátu, maďarské vojsko malo byť pripravené na rýchlu okupáciu Slovenska a Zakarpatskej Ukrajiny.[35] Keďže československá vláda mala vopred informácie o úmysle maďarskej vlády,[36] hneď 21. mája 1938 po vyhlásení mobilizácie posilnila aj obranu južných hraníc. Keď v Budapešti protestovali a žiadali vysvetlenie československého kroku, československý minister zahraničných vecí vyhlásil, že vojenské opatrenia na hraniciach sa týkajú celého územia republiky a nie sú namierené proti Maďarsku. Majú slúžiť jedine na udržanie vnútorného poriadku a pokoja.[37]

Celkovo Imrédyho vláda aj ďalej pokračovala v podvratných akciách proti republike, rozdúchavala revizionistickú propagandu a usmerňovala svoju piatu kolónu v republike. V Budapešti veľmi pozorne sledovali rozbíjačskú činnosť SdP a jej rokovanie

[34] OL, Küm. pol. 1938–7/28–2102/163/ Praha 21. 6. 1938.

[35] ÁDÁM, M.: Maďarsko a mníchovská dohoda. In: Československý časopis historický, 1980/1, s. 41.

[36] M. Kobr hlásil z Budapešti 21. 4. 1938: „Maďari údajne teoreticky uvažujú o eventualite, že by za istých okolností bolo možno vyvolať na Slovensku za pomoci vojensky organizovaných oddielov maďarskej mládeže a pod. odboj autonomisticky zmýšľajúcich ľudí proti ústrednej vláde v Prahe, obsadiť niektoré kraje a postaviť tak Československo pred fait accompli". – AFMZV, PS č. 38 Budapešť 21. 4. 1938; Tamže, ZÚ Budapešť, krab. 37, č. 115133.

[37] OL,Küm. pol. 1938–7/25/1805/897/. Rozhovor Gy. Bakách-Bessenyey-P. Fíša v Budapešti 30. 5. 1938; Tamže, Küm. pol. 1938–7/7–1671. Praha 2. 6. 1938; DIMK, II., s. 393, č. 213.

s československou vládou, pričom postup vodcov maďarskej menšiny a ich taktika voči Prahe do polovice septembra 1938 vzhľadom na západné veľmoci nemala byť v popredí. Viac sa rátalo pri menšinovej otázke s využitím úspechov henleinovcov. Rovnako maďarská politika a propaganda s veľkým záujmom sledovali narastanie autonomistického hnutia na Slovensku, najmä začiatkom júna 1938 hlinkovcami organizované oslavy 20. výročia Pittsburskej dohody, ktoré interpretovali ako dôkaz rozkolu medzi Čechmi a Slovákmi. Maďarská tlač popri jednoznačných prejavoch sympatií s ľudáckym návrhom na autonómiu Slovenska utvrdzovala v maďarskej verejnej mienke názor, že československý štát speje k dualizmu a skoro dôjde buď samovoľným vývinom alebo násilnou cestou k rozpadu republiky, čo otvorí cestu k realizovaniu maďarskej revízie.[38] Bola to tak isto Imrédyho vláda, ktorá mesiac po svojom nástupe utvorila osobitný propagandistický orgán, ktorý mal vypracovať plán činnosti, zameraný na udržiavanie vojnovej psychózy v záujme dosiahnutia územnej revízie. Pred Západom táto propaganda mala rôznymi argumentmi dokazovať nevyhnutnosť ozbrojeného stretnutia s Československom a ospravedlniť protičeskoslovenské akcie Maďarska „nebezpečenstvom boľševizmu", ktorého je republika údajne nástrojom.[39]

Medzi významné akcie maďarskej oficiálnej propagandy, zameranej na získanie priazne Slovákov a za pripojenie Slovenska k Maďarsku treba nesporne zaradiť svetový eucharistický kongres, ktorý sa uskutočnil v Budapešti v dňoch 25.–28. mája 1938. Bola to príležitosť, ktorá sa hocikedy nenaskytne, pretože na toto významné medzinárodné katolícke podujatie prišlo z Československa okolo 10 000 veriacich, z ktorého počtu viac než polovicu tvorili pútnici zo Slovenska. Československé ministerstvo zahraničných vecí už 18. mája 1937 upozornilo vyslanectvo v Budapešti, že roku 1938 sa bude konať v Maďarsku svetový eucharistický kongres, ktorý môže maďarská propaganda zneužiť proti

[38] AFMZV, PS č. 49/4 Budapešť 10. 6. 1938.
[39] TILKOVSZKY, L.: c. d., s. 23.

Československu. V tejto súvislosti vyzvalo vyslanca *M. Kobra*, aby sledoval všetky prípravné akcie a centrále o nich podával podrobné informácie.[40] Navyše, keď koncom roku 1937 bolo známe, že na kongres sa chystajú aj viacerí politickí reprezentanti HSĽS, kde nechýbali ani mená *A. Hlinku* a *J. Tisu*, politická ostražitosť československých vládnych orgánov sa ešte zvýšila.[41]

Z hľadiska československého štátu vzniklo dvojaké nebezpečenstvo; v prvom rade, že za formálnou akciou náboženského charakteru sa môže skrývať revizionistická propaganda a iredentistická agitácia proti republike s úmyslom podporiť všetky excentrické sily na Slovensku odtrhnúť ho od Československa a v druhom prípade, že náboženskí vodcovia HSĽS môžu akciu zneužiť ako demonštráciu v prospech ľudáckeho autonomizmu. V oboch prípadoch sa československej vláde podarilo uviesť veci na pravú mieru. Cez pražského kardinála *K. Kašpara* a pápežského nuncia pôsobila, aby sa ľudácki vodcovia zriekli pokusov o politickú demonštráciu autonomizmu a prostredníctvom Vatikánu vplývala na maďarskú vládu, aby eucharistický kongres bol zbavený akýchkoľvek politických momentov.[42] Podľa diplomatických správ z Ríma štátny sekretár pri Vatikáne upozornil maďarskú vládu, že eucharistický kongres nie je žiadnou politickou záležitosťou, čo potvrdil aj oficiálny tlačový orgán Vatikánu Osservatore Romano 29. apríla 1938 a maďarskí oficiálni činitelia sa zaviazali túto zásadu rešpektovať.[43]

---

40 AFMZV, ZÚ Budapešť, krab. 1, č. 10538, Praha 18. 5. 1938.
41 Tamže, ZÚ Budapešť, krab. 1, č. 847, Budapešť 20. 11. 1937.
42 Tamže, ZÚ Budapešť, krab. 1, č. 43, Praha 8. 1. 1938; ŠÚA-SSR, KÚ, krab. 254, č. 36263. Správa policajného riaditeľstva v Bratislave pre Krajínsky úrad 9. 6. 1938.
43 AFMZV, ZÚ Budapešť, kr. 1, č. 178, Praha 3. 3. 1938; Tamže, ZÚ Budapešť, krab. 1, č. 335, Rím 29. 4. 1938. Československý vyslanec 24. 2. 1938 z Budapešti hlásil, že tak vládne ako aj cirkevné kruhy v Maďarsku dali Svätej stolici záruky, že kongres nebude zneužitý pre maďarský nacionalizmus. – Tamže, ZÚ Budapešť, krab. 1, č. 115, Budapešť 24. 2. 1938.

Na základe týchto ubezpečení československé orgány nerobili žiadne ťažkosti pri organizovaní československých účastníkov na svetový eucharistický kongres v Budapešti. Ako však ukázal priebeh kongresu, maďarské vládne kruhy, i keď nie oficiálne, predsa prepašovali do rôznych akcií, spojených s eucharistickým programom revizionistickú a protičeskoslovenskú agitáciu, ktorá bola zameraná predovšetkým na slovenských účastníkov. Podľa dôverných správ, ktoré získalo československé ministerstvo vnútra, Slováci v Budapešti požívali mimoriadnu pozornosť hostiteľov a bolo zrejmé, že usporiadateľom ide o získanie ich sympatií. Organizovali pre nich divadelné hry v slovenčine, poskytovali im tendenčné informácie o pomeroch v Maďarsku, o postavení slovenskej menšiny, hostili ich na hraniciach a pod. Zároveň sa usilovali otriasť ich vierou v československý štát a presvedčiť, že v republike zakrátko zavládne chaos a anarchia. Nechýbali ani priame provokácie; na svätých obrázkoch bola vytlačená mapa starého Uhorska.[44] Napriek veľkému úsiliu maďarskej vládnej propagandy, aby z eucharistického kongresu získala aj politický kapitál, celková bilancia bola neuspokojujúca. Ako vyplýva z hodnotiacej správy *A. Pechánya*, vládneho radcu pre slovenské veci, účasť slovenskej inteligencie bola v Budapešti minimálna. Slovenskí účastníci porovnávali pomery v Československu a v Maďarsku a jednoznačne konštatovali československé prednosti. Pokiaľ išlo o promaďarskú orientáciu medzi Slovákmi, Pechány musel priznať, že kým u staršej slovenskej generácie náklonnosť k Maďarsku poklesla na minimum, u mladších bolo badať priamo averziu a odpor k Maďarsku. Celkovo musel konštatovať, že i keď Slováci majú rozpory s Čechmi, odmietajú sa vrátiť pod maďarskú nadvládu.[45]

---

[44] AFMZV, PS II., krab. 284, č. 121321. Správa Prezídia ministerstva vnútra pre ministerstvo zahraničných vecí, Praha 4. 7. 1938; ŠÚA-SSR, KÚ, krab. 267. Materiál o svetovom eucharistickom kongrese.

[45] OL, ME, Nemzetiségi osztály 1938, 51 cs., P 15819. Správa A. Pechánya.

2. Ponuka autonómie z Budapešti

Tak, ako po anexii Rakúska v maďarských vládnych kruhoch narastali nádeje na rýchly rozklad a skorý zánik Československa, vystupovali do popredia aj plány na ovládnutie Slovenska. Keďže na základe nacistami hlásaného princípu „völkisch" Maďarsko si mohlo robiť „nárok" iba na úzky južný pás Slovenska, kde žila maďarská menšina – čo vládne kruhy ani zďaleka neuspokojovalo – východisko sa hľadalo v opätovnom oživení a vyzdvihnutí otázky pre Slovensko v rámci maďarského štátu.

Myšlienka autonómie, ponúkaná z Budapešti pre Slovákov, nebola nová a raz viac, druhýkrát menej vystupovala v koncepcii maďarskej politiky v celom medzivojnovom období. Kým v čase rozkladu monarchie a formovania československého štátu táto idea tvorila súčasť úsilia maďarských vládnych kruhov o záchranu integrity Uhorska, v nasledujúcom období slúžila ako prostriedok na jej obnovenie. Navyše otázka autonómie Slovenska prechádzala viacerými etapami a nesporne vrcholila roku 1938 v čase najväčšej krízy československého štátu.

Ak chceme túto otázku pochopiť komplexne v maďarskej oficiálnej politike v druhej polovici tridsiatych rokov, nemožno ju oddeľovať od riešenia národnostnej otázky v trianonskom Maďarsku, ani od celkového postoja maďarských vládnych kruhov k Slovákom ako národnému subjektu. Iba takto si možno utvoriť reálny obraz, v čom nastali zmeny v porovnaní s predchádzajúcimi uhorskými pomermi a či sa horthyovské Maďarsko poučilo z chýb minulosti, alebo pokračovalo starými cestami. V záujme toho, aby sme hlbšie prenikli do koncepcie a celkového zámeru, ktorý sledovala maďarská politika otázkou autonómie Slovenska roku 1938, je potrebné poukázať na fakt, ako sa najvyššie maďarské politické miesta vo všeobecnosti stavali k Slovensku a ako ho hodnotili.

Hneď na začiatku treba povedať, že maďarská oficiálna politika medzi dvoma vojnami nedospela k žiadnemu prehodnoteniu základných politických postojov voči Slovensku. Práve naopak, stále sa zhoršujúce medzinárodné postavenie československého štátu a narastanie vnútorných problémov staré tézy ešte viac upevňovali a konzervovali. Časť maďarských vládnych kruhov úplne ignorovala politický vývin na Slovensku a utvrdzovala sa v názore, že Slovensko nepredstavuje pre Maďarsko žiaden politický problém. K Slovensku sa najčastejšie pristupovalo cez minulosť romantickými a sentimentálnymi očami a bez akejkoľvej snahy pochopiť politické zmeny, ktorými prešlo za 20 rokov.[46] Druhá časť vládnych politikov si dlhé roky nahovárala, že slovensko-maďarský rozpor je vyvolaný „umelo", pretože sa v skutočnosti za ním skrýva česko-maďarské súperenie o Slovensko, pričom Slováci do tohto sporu boli zatiahnutí „proti svojej vôli." Z toho potom logicky vyplývalo, že protimaďarské nálady na Slovensku a odsudzovanie minulosti sa chápalo iba ako dôsledok „tendenčnej" oficiálnej československej vládnej politiky, propagandy a školskej výchovy, ktoré „nemajú" hlboké korene ani „trvalý" charakter. V maďarskej politike i verejnosti sa postupne rozšírila mienka, že „návratu Slovákov do vlasti bránia iba Česi a mocenská sila republiky."[47] Maďarská vládna propaganda hojne inšpirovaná rôznymi revizionistickými a iredentistickými organizáciami neustále presvedčovala verejnosť, že Slováci boli „spokojní" so svojím postavením v Uhorsku, svoje „zblúdenie" už „oľutovali" a „chcú sa vrátiť" do Maďarska, avšak tento svoj názor „nemôžu" otvorene vyjadriť v republike.[48]

Medzi významnými argumentmi, ktoré odznievali z najvyšších politických miest, boli aj stále opakované argumenty o „historickom" nároku na Slovensko. Rovnako sa poukazovalo na geopolitickú a duchovnú „jednotu" medzi Maďarmi a Slovákmi, ktorá aj po „odtrhnutí" Slovenska ďalej „pretrváva" a Slováci si ju „plne uvedomujú". Údajne aj slovenská opozícia práve z nej čerpá svoje argumenty proti Prahe a celkom programovo smeruje

---

[46] ŠÚA-SSR, KÚ, krab. 264, bez č. Memorandum Ľ. Koreňa o maďarsko-slovenských vzťahoch z 26. 11. 1936; BORSODY, I.: c. d., s. 37.

[47] BORSODY, I.: c. d., s. 37–38.

[48] STEIER, L.: c. d., s. 32.

k obnoveniu predchádzajúceho stavu.[49] Celkovo z toho vyplýva, že maďarské politické kruhy nechápali Slovensko predovšetkým ako politický problém samých Slovákov, ale iba ako súčasť a sféru maďarskej politiky a jej záujmov.

Podobne zastaralé a prekonané názory, odrážajúce skôr želanie než reálny stav, sa prejavovali aj v interpretácii autonómie Slovenska, ktorú maďarská politika opäť vyzdvihla na program dňa. Rovnako ako predtým, aj tento raz sa táto otázka nehodnotila ako určitá forma národného subjektu, ale iba ako prostriedok alebo taktika, ktorá mala dopomôcť k uvoľneniu československej štátnosti a v konečných dôsledkoch utvoriť podmienky na návrat Slovenska pod maďarskú nadvládu. „Verili sme – napísal *I. Borsody*, jeden zo znalcov maďarsko-slovenských vzťahov – že, ak pominie česká nadvláda, Slovensko nastúpi cestu samostatného vývoja a vymaní sa spod cudzieho vplyvu, najmä v otázke maďarsko-slovenských vzťahov,... že Slováci objavia spoločnú hodnotu a spoločný zmysel medzi Maďarskom a Slovenskom".[50] V publicistike a v tlači sa síce z času na čas tvrdilo, že ak sa Slováci vrátia do lona maďarského štátu, dostanú autonómiu. Tieto vyhlásenia však sledovali iba propagandistický cieľ a nikdy sa s nimi vážne nerátalo. Oficiálne osobnosti na úrovni vlády v otázke slovenskej autonómie boli veľmi zdžanliví, a to jednak preto, že okrem taktického nástroja jej veľký význam nepripisovali a jednak sa obávali, že akýkoľvek oficiálny prísľub autonómie by vyvolal negatívny ohlas vo verejnej mienke a najmä by bol dôkazom, že maďarská politika sa v minulosti dopustila chýb a omylov voči národnostiam, ktoré chce v budúcnosti korigovať. Myšlienka autonómie Slovenska bola neprijateľná pre väčšinu maďarských vládnych kruhov aj preto, že by to znamenalo zjavné opustenie politiky násilnej asimilácie, čo bolo v rozpore so základnou tendenciou národnostnej politiky štátu. Celkový trend v Maďarsku svedčil práve o opaku. Osud menšín

---

[49] KRISZTICS, S.: A cseh kérdés. Budapest-Pécs 1939, s. 29.
[50] BORSODY, I.: c. d., s. 47–48.

44

v trianonskom Maďarsku sa v porovnaní s predvojnovými pomermi podstatne zhoršil, pretože vládna garnitúra došla po vojne k záveru, že „liberálny" postoj k národnostiam v bývalom Uhorsku viedol k dezintegrácii štátu a vyústil k separatizmu jednotlivých národností. Preto už sebemenší náznak po uplatnení národnostných práv vzbudzoval podozrenie a vyvolával obavy, že sa môže zopakovať „chaotický" stav z rokov 1918–1920.[51]

Do radov jednoznačných odporcov autonómie Slovenska patril predovšetkým sám regent *M. Horthy,* ktorý odchovaný starým rakúsko-uhorským režimom a svojím konzervatívnym založením nevedel ani pochopiť, ani sa prispôsobiť povojnovým pomerom. Jeho názor na Slovensko sa formoval ešte v 19. storočí a ani neskôr sa v ničom nezmenil.[52] Za ním nezaostával ani *K. Kánya,* ktorého na post ministra zahraničných vecí vyniesla revizionistická vlna po nástupe Gömbösovej vlády. Ako starý rakúsko-uhorský diplomat, bol známy v zahraničných kruhoch svojím konzervatívnym postojom k povojnovým pomerom vo všeobecnosti a k Československu osobitne. O Slovákoch sa vyjadroval ponižujúco a k Slovensku pristupoval iba ako k púhemu objektu, ktoré sa v dôsledku Trianonu ocitlo mimo hraníc Maďarska a treba urobiť všetko, aby sa tam znova vrátilo.

Medzi najvyššími maďarskými vládnymi kruhmi sa našli aj jednotlivci, ktorých názory na slovenskú otázku sa do určitej miery odlišovali od celkového trendu. Medzi nich patril *I. Bethlen* a *P. Teleki,* ktorí zastávali stanovisko, že Maďarsko musí zmeniť starú politickú taktiku voči bývalým národnostiam Uhorska. Ak chce späť získať Slovensko, musí v zahraničí argumentovať terminológiou sebaurčovacieho práva, ktoré by prilákalo aj

---

[51] TILKOVSZKY, L.: c. d., s. 10; RUDINSKÝ, J.: Revízia Trianonskej zmluvy. Praha 1932, s. 151–152.

[52] O názore M. Horthyho na Slovensko J. Esterházy povedal 17. 6. 1938 J. Szembekovi vo Varšave: „Predsa ho poznáš, má 70 rokov, je obklopený zlým okolím a nové časy vôbec nechápe. Bol som vzrušený, keď mi túto zimu povedal o svojich plánoch ohľadne Slovenska a čo urobí, keď vstúpi na slovenskú pôdu. – DTJSZ, IV., s. 191.

Slovákov. Podľa toho Slováci mali získať v rámci Maďarska formálnu autonómiu, ktorá by, prirodzene, bola veľmi obmedzená a sledovala by viac propagandistický zámer než vyjadrovala politické požiadavky slovenského národa. Za najlepšiu cestu, ako tento cieľ dosiahnuť, obaja pokladali formu plebiscitu za priaznivých medzinárodných okolností.[53]

Od jari 1938 Darányiho vláda otázku autonómie Slovenska tak isto chápala výlučne ako taktický krok, ktorý si vyžiadala tak nová medzinárodná situácia, ako aj vnútropolitický vývin republiky. Ako vyplýva zo zachovaných dokumentov, v prvých mesiacoch po anšluse Rakúska maďarská politika nevenovala prílišnú pozornosť tejto otázke. Nechcela sa dopredu viazať žiadnymi sľubmi, najmä keď sa jej spočiatku zdalo, že A. Hitler otázku nemeckej menšiny v Československu „vyrieši" vojenským zásahom, z čoho bude profitovať aj Maďarsko. V rovnakom čase prichádzali aj zo Slovenska „povzbudzujúce" správy, ktoré vyznievali v tom zmysle, že tamojšia verejnosť žije v strachu pred rozdelením Slovenska medzi Maďarsko a Poľsko a aby sa tomu predišlo, slovenský národ bude radšej súhlasiť s pripojením k Maďarsku, lebo aj z Budapešti sľubujú pre Slovákov autonómiu.[54] Darányiho vláda nenáhlila s riešením otázky aj preto, že okrem Hitlerovho sľubu mala ubezpečenie aj z Varšavy, že Poľsko si nerobí nárok na Slovensko.[55] Z toho vyplývalo, že po zlikvidovaní československého štátu Slováci nebudú mať na výber a budú nútení sami hľadať cestu do Budapešti. Na nezáujem maďarskej vlády o otázku autonómie Slovenska priamo upozorňovali v marci a apríli 1938 nemecký a poľský vyslanec z Prahy i vedenie henleinovcov.[56] Celkovo sa však situácia nevyvíjala

[53] TILKOVSZKY, L.: c. d., s. 10; HOENSCH, J. K.: Die Slowakei und Hitlers Ostpolitik, s. 63; STEIER, L.: Bethlen István gróf és a tót kérdés. In: Magyar Szemle 1934, október, s. 152–153.
[54] DIMK, II., s. 668–671, č. 434.
[55] OL, ME, Flachbart E. gyűjteménye, 1 cs., g dosszié. Záznam z 26. 3. 1938; DTJSZ, IV., s. 55.
[56] AAN-MSZ, 5428 č. 52/C/9, Praha 20. 4. 1938; Tamže, 5450, č. 52/C/7, Praha 3. 4. 1938.

predpokladaným smerom, čo nútilo maďarskú politiku do určitej miery modifikovať svoje stanovisko.

Tak, ako v maďarských vládnych kruhoch silnelo presvedčenie, že nacistické Nemecko uprednostňuje pri riešení otázky nemeckej menšiny cestu stupňovaného vnútorného rozkladu republiky, aj plány so Slovenskom nadobúdali na väčšej dôležitosti. Kalkulovalo sa totiž aj s eventualitou, že Československo sa postupne rozpadne na jednotlivé autonómne oblasti a v lete 1938 sa už uvažovalo o tom, že riešenie československej otázky zoberú do rúk veľmoci. V oboch prípadoch sa maďarská politika usilovala aj o riešenie slovenskej otázky vo svoj prospech.

Nová situácia si vyžadovala, aby Darányiho vláda nadviazala kontakty s tým politickým prúdom na Slovensku, ktorý presadzoval myšlienku autonómie, pretože od vzájomného zosúladenia plánov medzi nimi v značnej miere záviselo, či sa podarí „pokojnou" cestou, „dobrovoľne" a bez vážnych komplikácií ovládnuť Slovensko. Z toho dôvodu v Budapešti neskrývali svoje sympatie s radikalizáciou autonomistického hnutia na Slovensku a najmä od marca 1938 po sformovaní „autonomistického frontu" vkladali do neho veľké nádeje, pričom osobitné miesto tu zohrávala spolupráca medzi ZMS a HSĽS, pomocou ktorej sa malo postupne preorientovať slovenské autonomistické hnutie z československej pôdy na Maďarsko.

Tieto plány však od začiatku narážali na mnohé problémy. Na rozdiel od pomerov na Zakarpatskej Ukrajine, kde sa maďarskej politike podarilo utvoriť svoju agentúru, na Slovensku takéto pokusy skrachovali. Okrem niekoľkých starších politických pracovníkov, ktorí nemali podstatný vplyv na usmerňovanie ľudáckej politiky, vedenie slovenských autonomistov na čele s A. Hlinkom bolo zamerané protimaďarsky. V Budapešti určitý čas kalkulovali aj so získaním „nástupistov" pre maďarské záujmy, avšak skoro sa ukázalo, že ani tu nenájdu pochopenie jednoducho preto, že krajný nacionalizmus „nástupistov" viac ich hnal k nacistom a separatizmu než do vôd Maďarska. Od jari 1938 do Mníchova maďarská vládna politika najväčšiu nádej vkladala do *K. Sidora,* ktorý bol nielen najbližším spolupracovníkom starého

A. Hlinku a udržiaval zároveň aj úzke kontakty s vodcami ZMS, ale mal aj dobré vzťahy s Poľskom, cez ktoré maďarská vláda mohla kalkulovať a ovplyvňovať ho v prospech maďarského riešenia slovenskej otázky. Ani tieto očakávania sa však nesplnili. Väčšiu pružnosť v otázke Slovenska si vyžadovali aj iné faktory. Ak maďarská politika chcela posilniť v HSĽS kurz na rozbitie republiky, zmariť jej rokovania s Prahou a v neposlednej miere primäť ľudáckych vodcov k „rozhodnejšej a jasnejšej" politike, z ktorého nedostatku ju neustále vinila, potom bolo treba viac rozohrať myšlienku autonómie Slovenska v rámci maďarského štátu. Navyše aj z Varšavy, Berlína a Ríma radili Darányiho vláde, aby kvôli upevneniu „autonomistického frontu" a rozptýleniu nedôvery hlinkovcov voči Budapešti upokojila slovenských autonomistov a dala im na vedomie, že Maďarsko v prípade rozpadu republiky má v úmysle poskytnúť Slovensku autonómiu.[57] Darányiho vláda, v snahe urobiť zadosť priateľským radám, oznámila nemeckej a poľskej vláde, že je ochotná dať Slovákom „širokú" autonómiu v rámci maďarského štátu.[58] Niet pochýb, že toto vyhlásenie maďarskej vlády malo za cieľ skôr upokojiť priateľské štáty než ukázať ochotu poskytnúť autonómiu Slovensku v prípade rozpadu republiky. Nasvedčujú tomu aj viaceré okolnosti.

J. Wettstein, maďarský vyslanec v Československu, do začiatku mája 1938 nedisponoval smerodajnými informáciami a inštrukciou o postoji maďarskej oficiálnej politiky v otázke autonómie Slovenska. V liste z 2. mája 1938 sa menovaný sťažoval do Budapešti, že nevie ako má formulovať stanovisko vlády v tejto otázke. Odpoveď dostal 7. mája, kde sa síce hovorilo o ochote Maďarska poskytnúť Slovensku autonómiu v prípade, že sa Slováci vrátia do Maďarska, ale jej splnenie bolo viazané na viaceré podmienky a okolnosti, ktoré vážne spochybňovali skutočný

[57] DIMK, II., s. 346–347, č. 168 LANDAU, Z.–TOMASZEWSKI, J.: Monachium 1938. Polskie dokumenty dyplomatyczne. Warszawa 1985, s. 322, č. 240.
[58] OL, Küm, res. pol. 1938–7–367. Budapešť 7. 5. 1938; Tamže, Küm. res. pol. 1938–17–748/248/, Budapešť 5. 4. 1938; DIMK, II., s. 326–327, č. 152.

úmysel maďarskej vlády. „Rozsah autonómie, prirodzene, bude závisieť od určitej miery od okolností, akou formou sa uskutoční pripojenie Slovenska. Na iné si môžu nárokovať Slováci, ak by nejakou formou sami prispeli k rozbitiu republiky a k pripojeniu Slovenska, iná situácia by vznikla, ak by sa Slovensko vrátilo (po dohode s inými priateľskými mocnosťami) cestou vojenskej akcie", znela odpoveď vedúceho politickej sekcie na maďarskom ministerstve zahraničných vecí.[59] Maďarská vláda v tom čase kalkulovala viac s vojenským prepadnutím Slovenska, a preto toto formálne a veľmi obmedzené vyhlásenie na adresu autonómie Slovenska dala najmä kvôli Poľsku a aby nezvyšovala nedôveru hlinkovcov voči Budapešti. Jej skutočný zámer sa prejavil vtedy, keď niekoľko dní potom poľská vláda požiadala maďarské oficiálne kruhy o stanovisko, kade pôjde budúca hranica medzi Maďarskom a slovenskou autonómiou a Slovenskom a vtedajšou Podkarpatskou Rusou po jej pripojení k maďarskému štátu. Okrem toho chcela vidieť mapy, aby zistila etnografické rozhranie v zmiešaných župách na Slovensku. Maďarská vláda sa ocitla v ťažkej situácii a nedala jasnú odpoveď ani na jednu otázku.[60]

Otvorené revizionistické prejavy v Maďarsku voči republike, útočný protičeskoslovenský tón maďarskej tlače, vyhlasovanie o „historických" nárokoch na Slovensko, ktoré od marca 1938 zaznievali na rôznych fórach, nemohli ani zďaleka vyvážiť naivné propagandistické články o autonomistických sľuboch pre „bratov Slovákov". Osobitne silne otriasli verejnou mienkou na Slovensku mohutné revizionistické manifestácie v Budapešti v mesiaci apríli 1938 za odtrhnutie Slovenska od republiky, ktoré vy-

---

[59] OL, Küm. res. pol. 1938–7–367, Budapešť 7. 5. 1938.
[60] DIMK, II., s. 374, č. 191 a s. 383–384, č. 200.
Poľský vyslanec L. Orlowski v tejto súvislosti hlásil 3. 6. 1938 z Budapešti: „Pokiaľ sa týka Slovenska, doteraz nemožno určiť, ktoré jeho časti by mali byť začlenené do vlastného Maďarska. Maďari v rozhovoroch nechcú dokonca ani približne ohraničiť, kade pôjde táto čiara, pričom je jasné, že maďarská etnografická línia nebude jediným činiteľom, ktorý bude rozhodovať pri jej určení". –LANDAU, Z.–TOMASZEWSKI, J.: c. d., s. 170–172, č. 93.

volali vážne obavy z agresívnych zámerov maďarských vládnych kruhov. Túto celkovú verejnú mienku muselo rešpektovať aj ľudácke vedenie a v dôsledku narastania protimaďarských nálad opatrnejšie a kritickejšie hodnotiť jednak maďarskú oficiálnu politiku voči Slovensku a jednak spoluprácu so ZMS v rámci „autonomistického frontu". Tieto otvorené chúťky maďarskej politiky po ovládnutí Slovenska viedli k tomu, že aj v ľudáckom hnutí sa prejavovala nespokojnosť a nesúhlas s politikou maďarskej vlády voči Slovensku.[61] Maďarské vládne kruhy totiž nepochopili alebo lepšie nechceli pochopiť ciele HSĽS, ktoré nesmerovali k podriadeniu Budapešti, ale naopak, k presadeniu vlastnej hegemónie na Slovensku. Okrem toho maďarská taktika bola príliš krátkozraká, ale zato povýšenecká. Nielenže nebrala do úvahy 20-ročný vývin slovenského povedomia, ale spočiatku úplne ignorovala aj ľudákov ako rokujúceho partnera, a preto neprejavovala ani záujem o nadviazanie priamych kontaktov s jeho vedením. Uspokojovala sa jedine so spojením cez vodcov maďarskej menšiny, čo sa však skoro ukázalo ako nedostačujúce a bolo dobré iba na to, aby ďalej prehlbovalo nedôveru medzi vedením HSĽS a Budapešťou, ktorú sa nepodarilo preklenúť ani v nasledujúcich mesiacoch.

Keď sa poľská vláda informovala v Budapešti na stav maďarsko-ľudáckych rozhovorov, K. Kánya 4. mája 1938 odpovedal, že „v súčasnosti prebiehajú rozhovory medzi ZMS a Hlinkovou stranou. Priame rokovania medzi hlinkovcami a maďarskou vládou sa doteraz neuskutočnili, ale príde na nich rad v blízkej budúcnosti".[62] Na svoje ospravedlnenie maďarskí oficiálni činitelia uvádzali, že vzhľadom na malú politickú vyspelosť ľudáckeho vedenia, maďarská vláda musí byť opatrná a nemôže sa vystaviť nebezpečenstvu odhalenia rozhovorov, čo by viedlo k jej kompromitácii nielen v Prahe, ale aj v celej Malej dohode, čomu sa

---

[61] AAN-MSZ, 5454, č. 11/C/23, Bratislava 11. 4. 1938; OL, Küm, szemjeltáviratok, bejövő, č. 19/5511/, Praha 27. 4. 1938; Slovák 15. 5. 1938 a 10. 6. 1938.
[62] DIMK, II., s. 369–370, poznámka č. 104.

chce vyhnúť.[63] Skutočný zámer Darányiho vlády treba však vidieť v niečom inom. Išlo jej predovšetkým o to, aby sa svojimi vyhláseniami nemusela k ničomu zaväzovať a od sľubov, ktoré tlmočila cez J. Esterházyho, povereného viesť rozhovory so Sidorom a Tisom, sa mohla kedykoľvek dištancovať. V snahe vyjasniť postoj maďarskej oficiálnej politiky k Slovensku a v otázke autonómie, ľudácke vedenie takmer v rovnakom čase podniklo dve sondáže; jednu priamu v Budapešti, druhú nepriamu vo Varšave.

J. Tiso koncom mája 1938 počas svojho pobytu na svetovom eucharistickom kongrese v Budapešti požiadal svojho starého známeho poslanca maďarského parlamentu F. Ronkayho o sprostredkovanie stretnutia s maďarským ministrom zahraničných vecí K. Kányom, čo sa aj uskutočnilo. Aj keď z tejto schôdzky ani z jednej strany doteraz nemáme k dispozícii priamy záznam rozhovoru, celkovo zámery stretnutia nezostali utajené. K. Kánya sa choval povýšenecky a prejavoval malé pochopenie pre ľudácky autonomistický program a dal hrubo pocítiť „historické" nároky Maďarska na územie Slovenska, čo u Tisu vyvolalo negatívnu reakciu a schôdzka skončila s neúspechom.[64]

Niekoľko dní predtým, keď K. Sidor išiel do Gdyne vítať delegáciu Slovenskej ligy z USA, stretol sa 19. mája 1938 s poľským ministrom zahraničných vecí J. Beckom vo Varšave. Tento mu bez okolkov oznámil, že v prípade dezintegrácie republiky, Slovensko pripadne Maďarsku. Na Sidorove pripomienky o prehnanom maďarskom šovinizme, ktorý chce opäť ovládnuť Slovensko Beck reagoval tvrdením, že dobre pozná maďarské úmysly o poskytnutí „širokej" autonómie Slovensku, čo však nerozptýlilo obavy ľudáckeho polonofila.[65] Z oboch sondáží plynul záver, že ak sa Maďarsku naskytne vhodná príležitosť, bude sa všemož-

---

[63] LANDAU, Z. – TOMASZEWSKI, J.: c. d., s. 170–172, č. 93.
[64] TILKOVSZKY, L.: Revizió és nemzetiségpolitika..., s. 22; HOENSCH, J. K.: Die Slowakei und Hitlers Ostpolitik, s. 64.
[65] OL, Küm. res. pol. 1938–17–569, Varšava 27. 6. 1938; DIMK, II., s. 457–459, č. 250.

ne usilovať podmaniť si Slovensko bez toho, aby akceptovalo základné národné práva Slovákov, pritom myšlienka autonómie slúžila len ako pláštik na ľahšie dosiahnutie tohto cieľa. Rozhovory ľudáckych vodcov nezávisle od toho, že mali sondážny charakter, boli krajne škodlivé tak z hľadiska československej zahraničnej politiky, ako aj budúceho osudu Slovenska, pretože v čase vonkajšieho nebezpečenstva narúšali československú jednotu, stáli v rozpore so zmýšľaním veľkej väčšiny slovenskej verejnosti a živili u maďarských vládnych kruhov nádej, že časť Slovákov je proti československej štátnosti a chce sa vrátiť do Maďarska. Tieto rozhovory znova dali za pravdu československej vládnej politike, ktorá neustále zdôrazňovala, že horthyovské Maďarsko svojou politikou voči Slovensku sleduje jediný cieľ; jeho podrobenie, ktoré vedie cez rozbitie československého štátu a dezintegráciu republiky.

Nepružný a povýšenecký postoj maďarskej vládnej politiky v otázke Slovenska jej spôsobil viaceré komplikácie. Okrem už spomínanej nedôvery vedenia HSĽS, ktorá sa priamo premietala aj do vzťahu k ZMS, vyvolala táto rozladenie i vo Varšave. J. Beck koncom apríla 1938 odkázal do Budapešti, že maďarská vláda môže dosiahnuť úspech pri „riešení" slovenskej otázky vtedy, ak nadviaže priamy a úzky kontakt s vedením ľudákov cez K. Sidora a vyzvala ju, aby v tomto smere intenzívne pracovala.[66] Maďarské vládne kruhy do určitej miery modifikovali svoj postoj, ale až potom, keď nacistická politika väčšiu pozornosť sústredila na vnútornú eróziu československého štátu. Vtedy sa prejavili aj nové prvky v prístupe k ľudákom, čo sa však stalo až za Imrédyho vlády.

Aj keď sa nová vláda ďalej vyhýbala prevziať priame záväzky v otázke autonómie Slovenska v rámci maďarského štátu a za najlepší kanál spojenia s vedením HSĽS pokladala J. Esterházyho, jedného z vodcov ZMS, predsa vniesla nové momenty a taktiku do riešenia slovenskej otázky. Imrédyho vláda naj-

---

[66] DIMK, II., s. 339–340, č. 160.

väčší dôraz položila na Poľsko, ako na sprostredkovateľa, ktoré požívalo dôveru tak maďarskej politiky, ako aj určitej časti vedenia ľudákov a mohlo teda významne prispieť nielen k odstráneniu nedôvery HSĽS k maďarským revizionistickým plánom voči Slovensku, ale po čase aj preorientovať vedenie ľudákov v zmysle maďarského riešenia slovenskej otázky. Praktickou aplikáciou tejto politiky maďarská vláda poverila J. Esterházyho, ktorý udržoval dobré kontakty tak s vedením ľudákov, najmä cez Sidora, ako aj s poľskými politickými kruhmi. Po stretnutí s najvyššími vládnymi činiteľmi v Budapešti, kde dostal priame inštrukcie, J. Esterházy odcestoval do Varšavy a tam 17.–19. júna 1938 viedol rozhovory s poľskými predstaviteľmi. Stretol sa s J. Beckom, jeho zástupcom *J. Szembekom* a inými politikmi, ktorým vysvetlil koncepciu Imrédyho vlády o autonómii pre Slovákov. Povedal, že „maďarská vláda v princípe prijíma koncepciu širokej autonómie Slovenska v rámci svätoštefanskej ríše", pretože pochopila jej „nutnosť". Vo vzťahu k Slovensku už „nechce" opakovať chyby minulosti a Slovensko nemá byť riadené z Budapešti, ale „miestne elementy sa musia dostať k slovu". Za vzor autonómie pokladal štatút Chorvátska v rámci Rakúsko-Uhorska. Podľa toho by Slovensko disponovalo vlastným snemom, určitou vládnou mocou a stálym slovenským zástupcom pri maďarskej vláde. Získalo by „širokú vnútornú, kultúrnu a administratívnu autonómiu". Spoločná mala byť len zahraničná politika a všeobecné finančné a hospodárske veci štátu. Pokiaľ išlo o teritoriálny rozsah autonómie, podľa Esterházyho južný pás Slovenska, ktorý obýva maďarské obyvateľstvo, mal byť priamo pričlenený k Maďarsku a podobne i Zakarpatská Ukrajina, ktorej určenie západnej hranice spôsobuje síce problém, ale Budapešť sa bude usilovať posunúť ju, čo najviac na západ. Čo sa týka realizácie tohto plánu, gróf Esterházy vyhlásil, že nemá ilúzie o nejakých promaďarských náladách na Slovensku a ako dôvod udával silnú nedôveru voči maďarskej politike, ktorej korene siahajú do starých čias v Uhorsku a ktoré súvisia aj s nádejami Slovákov s novým československým štátom. Ďalej povedal, že Imrédyho vláda ho poverila viesť rokovania s vedením HSĽS o autonómii, pričom od Poľska očakáva dvojakú pomoc; vzhľadom na to, že poľská vláda požíva značnú autoritu medzi ľudákmi a zároveň je priateľom Maďarska, môže dopomôcť k rozptýleniu nedôvery slovenských autonomistov voči Budapešti a presvedčiť ich o „vážnych" úmysloch maďarskej vlády, a tým ich súčasne nasmerovať na zblíženie s Maďarskom. V záujme dosiahnutia „lojálnej dohody" medzi ľudákmi a maďarskou vládou navrhoval, aby ju Poľsko garantovalo. Aj keď u Kányu – povedal Esterházy – nenašiel v tejto veci plné pochopenie, Imrédy dal k tomu svoj placet.[67]

J. Beck v princípe nemal námietky proti poľskej garancii za predpokladu, že o to požiadajú obidve zainteresované strany. J. Esterházy prisľúbil, že hneď po skončení rokovaní bude maďarskú vládu informovať o dosiahnutých výsledkoch.[68] Poľská vláda pri rozhovoroch s grófom Esterházym i po nich kládla dôraz na to, aby popri rokovaniach, ktoré sa uskutočňujú cez vodcov ZMS, maďarská vláda prikročila k priamym rokovaniam aj s ľudáckymi dôverníkmi a oznámila im svoj plán autonómie Slovenska, pretože vedenie HSĽS neprechováva nedôveru k ZMS, ale k Budapešti a teda tu treba odstrániť sporné problémy.[69]

Hneď na prvý pohľad je zrejmé, že maďarský návrh odrážal skôr názory J. Esterházyho na riešenie slovenskej otázky než postoj maďarských oficiálnych kruhov. Zdá sa, že tieto pozitívne vyhlásenia vodcu maďarskej menšiny mali v prvom rade zapôsobiť na Poľsko ako slovanský a katolícky štát, aby sa svojím vplyvom zasadilo u hlinkovcov pre maďarskú orientáciu. Nasledujúce udalosti ukázali, že od sľubov sa ďalej nezašlo. Nebola splnená ani jedna požiadavka poľskej vlády a v Budapešti iba čakali ako sa ďalej vyvinie medzinárodná situácia a pomery v republike. V lete 1938 prevládol v maďarskej politike názor, že Ne-

[67] DTJSZ, IV., s. 189–190, 194.
[68] Tamže, s. 192–193, 189–190.
[69] DIMK, II., s. 446–447, č. 246, s. 457–459, č. 250.

mecko oddialilo riešenie otázky nemeckej menšiny a teda ani otázka Slovenska nesúri a napokon čas pracuje pre Maďarsko. V dôsledku toho ani vzťahy medzi maďarskou vládou a vedením HSĽS sa neuberali pre ňu žiadúcim smerom. Práve naopak, v tomto čase sa vzájomná nedôvera ešte prehĺbila. Svedčí o tom najmä vyhlásenie K. Sidora v poľskom časopise Kurjer Warszawski z 13. júla 1938, ktoré Slovák 31. júla prebral v celom znení. Polonofil Sidor, ktorý udržiaval tajné kontakty s J. Esterházym vyhlásil, že A. Hlinka vždy odmietal ísť s Budapešťou. „Maďarom neveríme a o návrate k nim niet ani reči," povedal Sidor. Tieto jeho slová mali veľmi negatívny ohlas tak u vodcov maďarskej menšiny, ako aj v Budapešti, pretože zazneli v čase rokovaní menšín o novom národnostnom štatúte, pri ktorých sa ZMS vyslovila za autonómiu Slovenska, v rámci ktorej chcela riešiť aj požiadavky maďarskej menšiny.

V maďarskej politike sa kalkulovalo aj s novou situáciou, ktorá nastane po Hlinkovej smrti. Keďže v Budapešti tvrdili, že so starým Hlinkom, zaťaženým silným balastom minulosti, nemožno nájsť spoločného menovateľa, nové vedenie HSĽS, na čele ktorého by mal stáť K. Sidor, bude povoľnejšie a prístupnejšie k maďarským plánom. Po Hlinkovej smrti maďarská tlač hodnotila jeho politiku z aspektu zápasu za autonómiu Slovenska, pričom prejavovala veľké sympatie s týmto jeho úsilím.[70] Nechýbali ani komentáre, kde sa akcentovali hlboké „psychické, duchovné a politické putá, ktoré sa vytvorili v Uhorsku po stáročia spolužitia" a tvrdilo sa, že Hlinkovo krédo, ku ktorému dospel na konci svojej politickej kariéry vyznievalo v tom zmysle, že „medzi slovenským a maďarským národom je viac momentov, ktoré ich spájajú, než tie, ktoré ich delia".[71] Nebolo pochýb, že takto formulované názory mali nabádať nové ľudácke vedenie k zblíženiu s Maďarskom, ktorého sám Hlinka bol údajne prívržencom po vytvorení „autonomistického frontu". Ani tentoraz udalosti

---

[70] OL, K–428, 860 cs. Prehľad maďarskej tlače.
[71] Külügyi Szemle, október 1938, s. 440; Pesti Napló 17. 8. 1938.

neprebiehali želateľným smerom. Po Hlinkovej smrti vedenie ZMS veľmi pesimisticky hodnotilo perspektívy spolupráce s HSĽS, pretože predpokladalo v jeho vedení posilnenie orientácie na dohodu s československou vládou, čo bude mať negatívny dopad na ďalšie zbližovanie.[72]

Do polovice septembra 1938 sa Budapešti nepodarilo vniesť pozitívny obrat do rokovaní s ľudákmi a v ničom sa nepokročilo ani v Esterházyho návrhu. Prirodzene, že maďarská vláda vinu jednoznačne zvaľovala na vodcov HSĽS, ktorí údajne neustále kolíšu, nevedia sa rozhodnúť a iba takticky koketujú s Maďarskom, aby z toho získali výhodu pri rokovaní s Prahou, a to aj za situácie, keď maďarská vláda zobrala do úvahy „ďalekosiahlu" autonómiu pre Slovákov. Napriek tomu sa však K. Kánya, maďarský minister zahraničných vecí, optimisticky pozeral na ďalší vývin a 14. septembra 1938 odkázal do Varšavy, že „so Slovákmi (rozumej HSĽS–L. D.) sa ešte nedosiahla definitívna dohoda, ale rokovania pokračujú v dobrej atmosfére".[73] V Budapešti predpokladali, že stále sa zhoršujúce vnútorné pomery v republike a jej zahraničná izolácia nutne privedú ľudákov k ústupu a nezostane im iné východisko ako sa preorientovať na Maďarsko.

3. Mníchovský neúspech Maďarska

Až do vyvrcholenia československej drámy do polovice septembra 1938 Imrédyho vláda postupovala osvedčenou cestou. Na jednej strane úmerne s narastaním nemecko-československého napätia stupňovala prípravu agresívnych akcií proti republike, urýchľovala vyzbrojovanie armády a usilovala sa upevniť spoločný protičeskoslovenský postoj s Nemeckom a Poľskom, na

---

[72] OL, Küm. pol. 1938–7/43–2905/198/; Tamže, Kozma M. iratai. 9cs., adatgyűjtemény 1938/II. Správa Rozgonya z Prahy 27. 8. 1938.
[73] OL, Küm. szemjeltáviratok, kimenő 1938 č. 78, Budapešť 14. 9. 1938; DT JSZ, IV., s. 269–270; DIMK, II., s. 623, č. 364.

druhej strane maďarská politika bola poznačená opatrnosťou, ktorá pramenila z obavy, aby sa Maďarsko príliš nezväzovalo s riskantnými vojnovými plánmi nacistov, najmä keď hrozilo nebezpečenstvo, že tieto by mohli prerásť do celoeurópskeho konfliktu, ktorému sa Maďarsko chcelo vyhnúť. Maďarskej zahraničnej politike, na čele ktorej stál B. Imrédy, imponovala politika ústupkov a uzmierenia západných veľmocí s Nemeckom, pretože otvárala cestu k realizovaniu územných nárokov Maďarska bez vojny, a to buď za pomoci nacistického Nemecka alebo západných veľmocí alebo súčasne oboch. Hlavný a konečný cieľ maďarských vládnych kruhov sa ani potom v ničom nezmenil. Najprv Maďarsko malo sústrediť všetky sily na vyradenie Československa ako mocenského faktora v strednej Európe a až potom mohlo pomýšľať na presadenie revizionistických ašpirácií. V Budapešti vládla téza, že len po mocenskom eliminovaní Prahy môže maďarská politika podnikať konkrétne akcie na ovládnutie východnej časti republiky.

O taktizovaní Imrédyho vlády nasvedčovali aj nemecko-maďarské rokovania, ktoré sa uskutočnili koncom augusta 1938 v nemeckom Kieli. Tu sa maďarská vláda v prípade potreby síce zaviazala vojensky vystúpiť proti Československu, avšak nie súčasne s nacistickým útokom, ale o niečo neskôr. Chcela najprv vyčkať na reakciu západných veľmocí a malodohodových štátov a na efekt agresie nacistov.[74] To znamenalo, že ak by nemecko-československý konflikt neprerástol lokálny rámec a wehrmacht by v krátkom čase dosiahol úspechy proti československej armáde, potom by sa maďarským honvédom otvorila cesta, aby bez vážnych prekážok rýchlo okupovali Slovensko a Zakarpatskú Ukrajinu. Pre maďarských politikov pri rokovaní bolo dôležité aj to, aby zahladili nepriaznivý dojem u nacistických vodcov z dohody, ktorú Maďarsko podpísalo s malodohodovými štátmi na juhoslovanskom Blede 23. augusta 1938, teda práve v čase návštevy Horthyho, Imrédyho a Kányu v Nemecku. Ma-

---

[74] ÁDÁM, M.: Magyarország és a kisantant...., s. 264–265.

ďarskí štátnici argumentovali, že maďarská politika ani svojím podpisom na Blede v ničom nezmenila svoj nepriateľský postoj voči Československu a aj ďalej sleduje jediný cieľ; izoláciu republiky v rámci Malej dohody. Maďarská vláda zvyšovaním požiadaviek maďarskej menšiny v republike dokáže, že jej nejde o žiadnu dohodu s Československom, ale naopak, pomocou ich ďalšieho stupňovania bude ešte intenzívnejšie pracovať v smere vnútorného rozkladu československého štátu a utvárať vhodné podmienky na zásah zvonka.[75]

Výrazný obrat v maďarskej politike vo vzťahu k republike nastal v polovici septembra 1938, čo priamo súviselo so stretnutím britského premiéra *N. Chamberlaina* s A. Hitlerom v Berchtesgadene 15. septembra, kde rokovali o otázke nemeckej menšiny v Československu. Keď do Budapešti došla správa, že Chamberlain sa chystá do Nemecka, na najvyšších vládnych miestach prevládol názor, že československý problém prešiel do rozhodujúceho štádia riešenia, Západ ustúpil a nemá námietky proti okypteniu republiky. Prehodnotili sa aj ohľady na západné veľmoci a dospelo sa k záveru, že maďarská politika precenila pročeskoslovenský postoj Západu k obrane republiky. Z toho potom logicky vyplývalo, že Maďarsko môže radikálnejšie formulovať svoje územné požiadavky a viac nasledovať i spolupracovať s nacistickým Nemeckom pri rozbíjaní a delení republiky. Keď sa skoro ukázalo, že predmetom britsko-nemeckých rokovaní bola iba otázka sudetských Nemcov, Imrédyho vláda vyvinula veľké úsilie, aby rozšírila československý problém aj na maďarskú menšinu a na ostatné národnosti žijúce v Československu. V novej situácii maďarská politika pokladala za časové i vhodné vrátiť sa k historickému princípu, hoci to priamo neformulovala. Regent *M. Horthy* 17. septembra 1938 napísal Hitlerovi list, v ktorom ho žiadal o pomoc pri presadzovaní maďarských územných nárokov voči Československu, pričom sa domáhal „uspokojivého" riešenia tak otázky maďarskej menšiny, ako aj všetkých národností v re-

[75] ADAP, D. II., s. 497, č. 390; ÁDÁM, M.: Magyarország és a kisantant..., s. 261–262.

publike. „Dovtedy nebude pokoj v strednej Európe" – písal Horthy – „kým nebudú definitívne vyriešené problémy všetkých menšín v československom štáte".[76]
O pár dní na to 20. septembra 1938 B. Imrédy a K. Kánya odcestovali do Nemecka na stretnutie s najvyššími nacistickými predstaviteľmi, aby konkrétne sformulovali územné požiadavky Maďarska, ktoré mal Hitler obhajovať 22.–23. septembra pri druhom stretnutí s N. Chamberlainom v Godesbergu. Maďarskí politici sa plne stotožnili s nacistickým stanoviskom „totálneho riešenia" Československa, t. j. s úplnym rozbitím republiky vojenským zásahom alebo „pokojnou" cestou s využitím aplikácie sebaurčovacieho práva na všetky menšiny a národnosti v republike. Aj keď z aspektu maďarskej politiky bolo najvýhodnejšie „veľké riešenie," pod ktorým sa rozumela priama agresia proti Československu, pretože to utváralo reálne šance na presadenie maďarských územných nárokov na historickom princípe, maďarskí vládni činitelia v obave, aby nemecko-československý konflikt neprepukol do európskeho požiaru, odmietli Hitlerovu požiadavku začať maďarskú vojenskú akciu súčasne s nacistickým útokom alebo dokonca ešte pred ním.[77] Imrédyho vláda aj ďalej trvala na predchádzajúcom stanovisku, ktoré výstižne formulovala 17. septembra 1938 do Varšavy slovami: „Pripravení k boju, vyčkáme vhodný okamih na zásah, ktorý v žiadnom prípade nezačne súčasne s nemeckým útokom a ešte menej pred ním."[78] Z tohto postoja jasne vyplývalo, že maďarská politika nevylučovala vojenské vystúpenie proti Československu, avšak sama chcela určiť čas útoku, ktorý by bol pre Maďarsko najpriaznivejší a najmenej riskantný. A. Hitler neskrýval svoje sklamanie s kolísavým a nerozhodným postojom Maďarska ohľadne vojenského vystúpenia proti republike a maďarským predstaviteľom bez okolkov vyhlásil, že v prípade vojenskej pasivity, Maďarsko

---

[76] Horthy Miklós titkos iratai. Zostavil M. Szinai a L. Szücs. Budapest 1962, s. 197–199, č. 35.
[77] A Wilhelmstrasse..., s. 297–298, č. 142; DEÁK, L.: c. d., s. 264–265.
[78] DIMK, II., s.614–615, č. 357.

sa samo vyradí z delenia Československa.[79] Bola to priama narážka, že Maďarsko nemusí získať územie Slovenska a Zakarpatskej Ukrajiny.

V tejto súvislosti sa vynára otázka, aký postoj zaujímal Hitler k Slovensku v týchto kritických septembrových dňoch. V predstavách „führera" Slovensko figurovalo iba ako púhy objekt, ktorý z aspektu nacistickej globálnej protičeskoslovenskej politiky a pri úsilí vyradiť Československo ako medzinárodný subjekt, nehralo do Mníchova kľúčové miesto. Slovensko Hitlera zaujímalo skôr ako faktor, pomocou ktorého bude možno ľahšie rozložiť československú štátnosť a použiť ho ako určitú návnadu pre Maďarsko, aby sa prispôsobilo nacistickým plánom. Z toho dôvodu najvyššie nacistické miesta problém Slovenska až do mníchovskej konferencie nechávali otvorený. Ak by sa Maďarsko rozhodlo vojensky zasiahnuť po boku nacistického Nemecka proti republike alebo dokonca samo prispelo k vyprovokovaniu konfliktu, ktorý by nacistom dal zámienku odmietnuť appeasementskú líniu západných veľmocí a prejsť k „veľkému riešeniu", potom by maďarské vládne kruhy neminula odmena „darovania" Slovenska bez ohľadu na etnický princíp. Týmto konštatovaním nechceme však tvrdiť, že v nacistickej politike neboli aj iné prúdy, ktoré mali so Slovenskom svoje plány, ale – ako sme to už uviedli – do mníchovského verdiktu sa výrazne nepresadili.[80]

Imrédyho vláde, v ktorej mali prevahu „umiernení" lepšie vyhovovala cesta vnútorného rozkladu republiky pomocou tzv. sebaurčovacieho práva. Len čo ho od polovice septembra 1938 nacisti radikálne nastoľovali pre sudetských Nemcov, hneď sa aj maďarská politika chopila hesla sebaurčovacieho práva a vehementne ho využívala raz na odtrhnutie územia, kde bývala maďarská menšina, druhý raz pre nemaďarské národnosti v repub-

---

[79] ADAP, D, II., s. 689–690, č. 557.
[80] DIMK, II., s. 694–695, č. 440; HOENSCH, J. K.: Der ungarische Revisionismus und die Zerschlagung der Tschechoslowakei. Tübingen 1967, s. 115.

like, aby tak dosiahla dezintegráciu československého štátu. Takto interpretované heslo sebaurčovacieho práva bolo v skutočnosti jeho popretím a zneužitím a dobré na to, aby zakamuflovalo územné nároky Maďarska na celé Slovensko a Zakarpatskú Ukrajinu. Osobitné miesto v maďarskej oficiálnej argumentácii zaujímala najmä otázka plebiscitu, ktorú maďarská politika predstavila ako najadekvátnejšiu aplikáciu sebaurčovacieho práva a všemožne sa usilovala vyniesť ho na medzinárodné fórum, resp. na program medzinárodnej konferencie. Rátala s tým, že šikovnou taktikou, manipuláciou za medzinárodnej pomoci, najmä spriatelených veľmocí sa jej podarí prostredníctvom plebiscitu dosiahnuť obnovenie hraníc svätoštefanskej koruny.

Práve taktickým využitím hesla sebaurčovacieho práva vniesla Imrédyho vláda určité modifikácie aj do postupu voči Slovensku. V Budapešti opustili dovtedy sledovanú líniu, podľa ktorej sa Slovensko ako celok malo „vrátiť" do maďarského štátu naraz, pričom najdôležitejší faktor tu zohrávala spolupráca ZMS s HSĽS, s ktorou ruka v ruke mala nasledovať i postupná preorientácia slovenského autonomistického hnutia na Maďarsko.[81] V novej situácii maďarská vláda však nástojila najprv na odtrhnutí územia, kde bývala maďarská menšina, zatiaľ čo na ostatnom území Slovenska žiadala usporiadanie plebiscitu, ktorý by rozhodol o budúcej príslušnosti Slovákov. Tým nielen otvorene prehodila cez palubu predchádzajúcu politiku „autonomistického frontu", ale dala jednoznačne najavo, že ZMS je v službách maďarskej revízie a podľa nových pokynov z Budapešti už programovo pracuje na oklieštení integrity Slovenska. Najmä po prijatí britsko-francúzskeho ultimáta československou vládou

---

[81] Zvláštny korešpondent MTI Rozgony hlásil z Prahy v lete 1938: „Taktika maďarských politikov (rozumej vodcov maďarskej menšiny – L. D.) smeruje k tomu, aby sa neuvoľňovali vzťahy so Slovákmi a Rusínmi, ale aby sa s nimi udržiavala spolupráca. Preto, keď raz príde na pretras riešenie územia, nebude možno odčleniť južný pás od českého štátu, kde žijú Maďari. Potom sa stane aktuálnou otázka, kam má pripadnúť územie celého Slovenska a Podkarpatskej Rusi". – OL, Kozma M. iratai, 9. cs., adatgyüjtemény 1938/I.

podľa príkladu nacistov aj maďarská vláda vehementne nástojila na odčlenení územia obývaného maďarskou menšinou bez akýchkoľvek rokovaní a plebiscitu. Maďarsko nebolo spokojné s výsledkami rokovania v Godesbergu, pretože A. Hitler napriek sľubom nechal nepovšimnuté maďarské požiadavky a len vtedy ich spomenul, keď sa hovorilo o garancii budúcich československých hraníc. Imrédyho vláda východisko zo situácie videla v demonštrácii nespokojnosti a svojho odhodlania, ktoré prejavovala stupňovaním agresivity voči Československu vo všeobecnosti a neobyčajnou politickou aktivitou na Slovensku osobitne. Povolala do zbrane niekoľko ročníkov a umiestnila ich blízko československých hraníc. V snahe splniť sľuby, ktoré dala nacistom, pokúšala sa roznietiť nepokoje na Slovensku, organizovať dobrovoľníkov, ktorí mali vyprovokovať incidenty a sabotáže na československom území a demagogickými heslami vyvolať revoltu medzi maďarským obyvateľstvom na Slovensku. V maďarskom ministerstve zahraničných vecí vznikali konkrétne plány ako propagandisticky pôsobiť v protičeskoslovenskom duchu na Slovensku a uvádzali sa presné návody na vyvrátenie argumentov o československej štátnosti, pričom nechýbali ani sľuby, ktoré čakali na „splnenie", len čo sa Slováci vrátia do lona maďarského štátu.[82] Skutočný efekt týchto akcií bol však minimálny a nedosiahol očakávaný cieľ. Podľa informácií československých orgánov naverbované protičeskoslovenské oddiely sa rozpadli ešte skôr než by prekročili teritórium republiky.[83] Napriek silnému tlaku štvavej protičeskoslovenskej propagandy, vedenej prostredníctvom maďarského rozhlasu, rôznych tajných agitátorov a letákov, maďarské obyvateľstvo na Slovensku ani zďaleka nesplnilo nádeje budapeštianskych vlád-

---

[82] AÚML ÚV KSS. Fond Slovensko, č. 1975. Elaborát o maďarskej propagande na Slovensku z 19. 9. 1938; TILKOVSZKY, L.: Revizió és nemzetiségpolitika..., s. 26–27.

[83] ŠÚA-SSR, KÚ, krab. 254, č. 61313. Správa prezídia policajného riaditeľstva z Košíc z 23. 9. 1938; Tamže, KÚ, krab. 275., č. 63913. Správa prezídia policajného riaditeľstva z Košíc 28. 9. 1938.

nych kruhov. Najmä po vyhlásení mobilizácie na juhu Slovenska aj naďalej vládol pokoj a vodcovia ZMS v obave pred postihom československých orgánov a vo vedomí, že za nimi nestojí veľmoc, zdržovali sa organizovania otvorených protištátnych a podvratných akcií. Navyše treba dodať, že časť maďarského obyvateľstva odolala šovinistickej agitácii z Budapešti. Keď *J. Wettstein*, maďarský vyslanec v Československu, hovoril s bulharským kolegom o maďarských územných nárokoch, musel priznať, že „mnohí československí Maďari sú tu spokojnejší, než by boli v Maďarsku, a preto ani neprejavujú horlivosť k návratu".[84]

Agresívny tón maďarskej politiky našiel svoj konkrétny výraz aj v oficiálnych nótach, ktoré Imrédyho vláda od 22. septembra 1938 do konca mesiaca takmer každý deň posielala do Prahy. Žiadala v nich, aby maďarská menšina v Československu nebola „diskriminovaná" a jej požiadavky sa riešili podobným spôsobom ako sudetských Nemcov. Pokiaľ išlo o ostatné národnosti v republike, v Budapešti apelovali, aby im v rámci „rekonštrukcie vnútorných pomerov" a pokoja v strednej Európe československá vláda umožnila uplatniť „právo na sebaurčenie".[85] Maďarská vládna politika sa totiž právom obávala, že po „uzavretí" otázky nemeckej menšiny sa ocitne v nevýhode. Československá vláda bude potom menej ústupčivá a navyše rokovaním nedosiahne toľko ako Nemecko, pretože svoje požiadavky nemôže podoprieť vojenskou hrozbou, ani svojím mocenským postavením.

Československá vláda maďarským nótam a vyhrážkam nepripisovala veľký význam, pretože mala informácie o intervenciách Londýna a Paríža, ktoré vyzývali maďarskú vládu k umiernené-

---

[84] AFMZV, Kabinet ministra č. 3311/1938. Rozhovor H. Masařík – Balabanov, bulharský vyslanec v Prahe 23. 9. 1938.
[85] AFMZV, TO č. 1365/38 Praha 26. 9. 1938; OL, Küm. pol. 1938–7/25–3060/897/, Praha 22. 9. 1938; DIMK, II., s. 635-636, č. 378.

mu postupu voči Československu,[86] ďalej o protimaďarskom postoji malodohodových spojencov a napokon o celkovej vojenskej slabosti Maďarska. Československá vláda vo svojej odpovedi na nótu z 22. septembra 1938 odmietla tvrdenie o „diskriminácii" maďarskej menšiny v republike. Československý minister zahraničných vecí vyhlásil J. Wettsteinovi, že rokovanie medzi Československom a západnými veľmocami o otázke nemeckej menšiny prebieha úplne na inej báze. Napriek tomu je však československá vláda ochotná poskytnúť maďarskej menšine práva v rámci nového národnostného štatútu. Požiadavku usporiadania plebiscitu na Slovensku však K. Krofta striktne odmietol s odôvodnením, že „by to viedlo k úplnému pretvoreniu stredoeurópskeho priestoru, čo by sa dotklo aj iných štátov, najmä Juhoslávie a Rumunska, ktoré by s touto zmenou určite nesúhlasili".[87] Súčasne Praha so svojou odpoveďou Maďarsku informovala oboch spojencov z Malej dohody a poukázala na ďalšie eventuálne kroky, ktoré možno očakávať zo strany maďarskej vlády.[88]

Okrem priameho i nepriameho tlaku, ktorý Imrédyho vláda vyvíjala na Prahu a v smere ústupkov, v Budapešti nezabudli ani na propagandistickú kampaň na Západe. Takto chceli presvedčiť tamojších vládnych činiteľov a verejnosť o „oprávnených" maďarských požiadavkách voči republike. V Londýne a Paríži maďarská vládna propaganda dokazovala, že keďže víťazné veľmoci rozhodli na mierovej konferencii o hraniciach československého štátu na základe „nepravdivých", historických, geografických a etnic-

[86] AFMZV, Kroftov archív, krab. 3. Správa o rozhovore s britským vyslancom B. Newtonom v Prahe 23. 9. 1938.
[87] AFMZV, Kroftov archív, krab. 11. Rozhovor K. Krofta–J. Wettstein 26. 9. 1938; Tamže, Kabinet vecný, krab. 45, bez č. Záznam o rozhovore K. Kroftu s J. Wettsteinom 28. a 29. 9. 1938; OL, Küm. szemjeltáviratok, komenő, č. 108, Budapešť 27. 9. 1938.
[88] AFMZV, Kroftov archív, krab. 3, bez č. Rozhovor K. Kroftu s juhoslovanským vyslancom V. Protićom a rumunským vyslancom R. Crutzescom v Prahe 22. 9. 1938.

kých argumentov, je ich morálnou povinnosťou napraviť túto „krivdu" novou úpravou československých hraníc.[89] Koncom septembra 1938 poslala maďarská vláda do západných metropol viacerých emisárov. Títo priamo rokovali s vplyvnými vládnymi politikmi a poslancami a všemožne ich presviedčali, aby britská a francúzska vláda súhlasila s usporiadaním plebiscitu na Slovensku a nestavala sa proti jeho pripojeniu k Maďarsku.[90]

Maďarská politika chcela využiť otázku plebiscitu aj na paralyzovanie Juhoslávie a Rumunska, ktoré v rámci prijatých malodohodových záväzkov mali prísť na pomoc Československu v prípade maďarskej agresie. Napriek tomu, že Imrédyho vláda priamo i cez spriatelené štáty Nemecko, Taliansko a Poľsko vyhlásila, že Maďarsko nemá v úmysle „anektovať" Slovensko a jeho úsilie smeruje iba k tomu, aby sa Slováci „sami rozhodli" o svojom budúcom osude na princípe sebaurčovacieho práva, juhoslovanská a rumunská vláda negatívne reagovali na maďarské ambície pohltiť Slovensko. Celkom oprávnene videli v maďarskej kamuflovanej interpretácii sebaurčovacieho práva krok k „veľkej revízii", ktorá by v ďalšej etape ohrozila aj ich bezpečnosť.[91] Keďže Juhoslávia a Rumunsko do Mníchova toto svoje stanovisko nezmenili, Imrédyho vláde hrozilo nebezpečenstvo, že v prípade začatia vojenských akcií proti Slovensku, malodohodoví spojenci budú odpovedať protiútokom.

Väčšou otvorenosťou a priamosťou sa vyznačovala maďarská politika a propaganda v domácom maďarskom prostredí. Všetka vládna i opozičná tlač medzi berchtesgadenským stretnutím A. Hitlera s N. Chamberlainom a mníchovskou konferenciou nasadila proti Československu ostrý agresívny tón. Veľmi radikálne žiadala zásadné pretvorenie republiky, čo sa vlastne rovnalo jej likvidácii. Na adresu Slovákov zaznievalo raz „horúce his-

---

[89] OL, Küm. pol. 1938–7/25–897/3092/.

[90] Tamže, Küm. pol. 1938–7/25–3130, Paríž 23. 9. 1938; Tamže, Küm. pol. 1938–7/7–3149, Paríž 25. 9. 1938.

[91] DIMK, II., s. 655–657, č. 396, s. 668, č. 407, s. 674, č. 416; VINAVER, V.: c. d., s. 298.

torické bratstvo" a veľké pochopenie pre ich „ťažký osud",[92] druhý raz nechýbali vyhrážky v mene tisícročného „práva" maďarského štátu na riadenie osudu Slovákov. V mnohých úvahách v tlači i rozhlase, na rôznych manifestáciách sa omieľali staré tézy, že Slováci v republike nemôžu slobodne vyjadriť svoju vôľu a ak by sa im naskytla príležitosť, „určite" by sa rozhodli pre návrat do lona maďarského štátu. Tieto názory mali potvrdiť aj „hodnoverné" informácie zo Slovenska, získané dôvernou cestou. V jednej z nich sa 23. septembra 1938 hovorilo, že „slovensky hovoriace obyvateľstvo na Hornej zemi si z väčšej časti praje pripojenie k Maďarsku... celkove tam prevláda názor, že ak Maďarsko dá Slovensku autonómiu, rado sa vráti k nám".[93] Podľa týchto predstáv plebiscit na Slovensku by mal iba utvrdiť zahraničie v tom, že slovenský národ sa „nikdy neodcudzil" od Maďarska a bol iba „násilím" odtrhnutý od spoločnej stáročnej histórie. Tieto a podobne formulované priania maďarských vládnych kruhov, ktoré nemali nič spoločné s realistickým hodnotením pomerov na Slovensku, sa markantne prejavili i na mohutnej revizionistickej manifestácii usporiadanej 21. septembra 1938

---

[92] Uvedieme aspoň jeden príklad za všetky. I. Milotay, šéfredaktor šovinistického časopisu Uj Magyarság 25. 9. 1938 uverejnil v ňom pod titulom „Slovenským bratom" veľký dvojjazyčný maďarsko-slovenský úvodník, ktorý v plnom znení prebral aj budapeštiansky rozhlas. Hovorilo sa v ňom, že „maďarský národ a maďarská verejná mienka očakáva v plnej pohotovosti a so zatajeným dychom vaše rozhodnutie. Očakáva to s láskou, ktorú voči vám nikdy neprestala prechovávať... My Maďari sme za tých 20 rokov s vami cítili a s vami trpeli. Previedli sme revíziu v prvom rade voči samým sebe, vyzliekli sme sa, spálili sme staré neresti, na tejto strane trianonských hraníc vyrástlo nové Maďarsko, ktoré chce s vami nový zväzok a nové priateľstvo dvoch národov podľa nových príkazov 1000-ročnej vzájomnej odkázanosti na seba. Toto maďarstvo na základe národného sebaurčenia so zárukami slovenskej štátnej nezávislosti je ochotné vám dať všetko, čo vám český imperializmus za 20 rokov len sľuboval a dôsledne upieral... Udrela hodina slovenskej slobody, vy nemôžete bojovať za Prahu, ani za vládu Moskvy. Vy môžete si voliť jedine: slovenskú slobodu a my Maďari sme hotoví za ňu s vami žiť a mrieť".

[93] OL, Küm, pol. 1938–7/1–210. Situačná správa žandárskej stanice v Szobe z 23. 9. 1938.

v Budapešti. V prijatej rezolúcii sa priamo žiadalo, aby Slovensko bolo „späť vrátené" Maďarsku a len vtedy zavládne pokoj v Európe, keď všetky národnosti v Československu budú „slobodné" a keď sa „bratia Slováci" spoja s Maďarskom.[94] Skutočné šance maďarskej revízie aj naďalej záviseli od toho, či sa podarí na Slovensku utvoriť okrem ZMS promaďarskú agentúru v HSĽS, ktorá by jednak zohrala úlohu trójskeho koňa a jednak aj navonok reprezentovala pred Západom politickú silu za pripojenie k Maďarsku. Bolo to dôležité pri eventualite vojenskej likvidácie republiky, s ktorou maďarská politika stále rátala a kde ľudácke vedenie mohlo plniť funkciu pacifikačného činiteľa. V prípade „mierového" riešenia, t. j. postupnej dezintegrácie Československa, veľmocenského diktátu alebo rozhodnutia o plebiscite sa tomuto faktoru pripisoval priamo kľúčový význam. Preto sa Imrédyho vláda všemožne usilovala o to, aby si čo najskôr podriadila vedenie ľudákov.

Všetky uvedené okolnosti viedli k tomu, že maďarská vláda 18. septembra 1938 odkázala J. Tisovi, predstaviteľovi HSĽS, že „Maďari, poučení z histórie, sú ochotní dať Slovákom podľa ich priania širokú autonómiu".[95] Konkrétne Imrédyho vláda prisľúbila akceptovať požiadavky ľudáckeho vedenia, podľa čoho Slováci po pričlenení k Maďarsku mali získať centrálne administratívne orgány s výkonnou právomocou, osobitný slovenský snem so zákonodarnou mocou a samostatnú rozpočtovú kvótu.[96] Postup oficiálnych maďarských činiteľov však nasvedčoval tomu, že išlo o ďalší taktický manéver, ktorý si vynútilo rýchle tempo udalostí. Imrédyho vláda si totiž uvedomila nebezpečenstvo, že skôr môže dôjsť k rozuzleniu československej drámy, než sa maďarskej politike podarí získať ľudácke vedenie na svoju

[94] ŠÚA-SSR, KÚ, krab. 273. Správy o odpočúvaní budapeštianskeho rozhlasu; Magyar Nemzet 18. 9. 1938; Magyarság 23. 9. 1938; Budapesti Hirlap 22. 9. 1938.
[95] LANDAU, Z. – TOMASZEWSKI, J.: c. d., s. 316, č. 218; DIMK, II., s. 645–646, č. poznámky 124.
[96] OL, Küm. res. pol. 1938–7–bez č. Koncept o riešení otázky Slovenska, bez dáta; DIMK, II., s. 665–666, č. 403.

stranu. Tento fakt primäl Imrédyho k tomu, aby si aj za cenu ďalekosiahlych sľubov naklonil vedenie HSĽS. Práve tento chvat, neistota a obava z premeškania vhodnej chvíle mali za následok, že popri odkazoch; „všetky želania akceptujeme", požiadavky Slovákov „pokladáme za prirodzené", zaznievali z Budapešti aj ultimatívne vyhlásenia a vyhrážky. K. Kánya odkázal Tisovi, že očakáva od neho akceptovanie a osvojenie taktiky maďarskej politiky. Najmä po britsko-francúzskom ultimáte Československu maďarská vláda „radila" vedeniu HSĽS, aby sa dožadovalo práva na sebaurčenie od veľmocí, pričom až ultimatívnym tónom naliehala, aby sa ľudáci definitívne vyjadrili, či „Slováci stoja na maďarskej strane alebo sú proti nim, pretože podľa toho Maďarsko upraví k nim svoju politiku."[97] Súčasne sa Budapešť obrátila aj na poľskú vládu so žiadosťou, aby vyvíjala nátlak na HSĽS v žiadanom smere, dokazujúc, že blízky zánik československého štátu si vyžaduje, aby Slovensko prostredníctvom plebiscitu optovalo do Maďarska. Pokiaľ však išlo o otázku poľskej garancie autonómie Slovenska v rámci maďarského štátu, maďarská vláda ju pod rôznymi zámienkami odmietla.[98]

Celková taktika Imrédyho vlády voči Slovensku v dramatickom poslednom septembrovom týždni nepriniesla žiaden úspech. Pre ľudácke vedenie maďarské ponuky neboli prijateľné z viacerých dôvodov. Predovšetkým preto, že verejnosť na Slovensku na agresívne protičeskoslovenské prípravy a revizionistické chúťky Maďarska reagovala veľmi rozhorčene a stavala sa jednoznačne na obranu republiky, čo vedúci činitelia HSĽS museli akceptovať. Okrem toho maďarské revizionistické ašpirácie stáli v protiklade s hegemonistickými ambíciami ľudákov a vymykali sa aj z taktiky dvoch želiezok v ohni, o ktoré sa usilovalo Tisovo krídlo vo vedení HSĽS. Navyše bez toho, aby maďarská vláda vyčkala odpoveď hlinkovcov, vyhlasovala, že Slovensko

---

[97] OL, Küm. pol 1938–7–bez č. Koncept o riešení otázky Slovenska, bez dáta; LANDAU, Z. – TOMASZEWSKI, J.: c. d., s. 325, s. 234, s. 351, č. 260, s. 424, č. 360.
[98] DIMK, II., s. 623, č. 364.

sa „chce vrátiť" do Maďarska a plebiscitom rozhodnúť o svojom budúcom osude, čo vedenie HSĽS chápalo nielen ako ignorovanie rokujúceho subjektu, ale jej kompromitáciu pred oficiálnou československou politikou i slovenskou verejnosťou. To malo za následok, že aj keď ľudácke vedenie formálne neprerušilo kontakty s Budapešťou, odmietlo maďarskú koncepciu autonómie Slovenska v rámci maďarského štátu.[99] Neúspechu maďarskej politiky na Slovensku si bola vedomá aj Imrédyho vláda. Sám K. Kánya, minister zahraničných vecí Maďarska, skepticky hodnotil ďalšie pokusy vlády o dohodu s hlinkovcami, pričom o Tisovom postupe sa vyjadril ako o nezáväznom taktickom kroku.[100] Keď sa po rozbití godesberských rokovaní, po vyhlásení mobilizácie a odhodlaní obyvateľstva brániť republiku zdalo, že sa zlepšuje aj medzinárodné postavenie Československa, i ľudácke vedenie bolo viac naklonené ku kompromisu s československou vládou. Do takej miery ako sa ukázali pozitívne momenty v rokovaní medzi prezidentom E. Benešom a zástupcami HSĽS v poslednom septembrovom týždni, slabli aj kontakty hlinkovského vedenia s maďarskou politikou. Poľský konzul v Bratislave W. Łaciński musel 26. septembra 1938 priznať, že spojenie medzi ľudákmi a maďarskou vládou je takmer prerušené.[101]

Maďarská vláda ani po tom, čo ju niekoľko dní pred zvolaním mníchovskej konferencie Berlín opäť vyzval k útoku proti Československu a keď zaznievali „netrpezlivé" vyhlásenia „radikálov" k ráznej akcii, nezmenila svoje stanovisko a zostala zdržanlivá. Napriek mohutnému revizionistickému entuziazmu maďarskej verejnosti a snahe vládnúcich kruhov po obnovení „historických" hraníc, prevládla v maďarskej oficiálnej politike obava pred ďalekosiahlymi dôsledkami rozpútania vojenského konflik-

---

[99] Tamže, s. 441, č. 337, s. 424, č. 358, s. 351, č. 260; TILKOVSZKY, L.: Revizió es nemzetiségpolitika..., s. 26.
[100] LANDAU, Z. – TOMASZEWSKI, J.: c. d., s. 483, č. 433, s. 492, č. 442.
[101] Tamže, s. 424, č. 358, s. 417, č. 348; HOENSCH, J. K.: Der ungarische Revisionismus..., s. 94.

tu. *D. Sztójay*, maďarský vyslanec v Berlíne, ospravedlňoval maďarskú opatrnosť a kolísavosť pred nemeckou vládou slabým mocenským postavením Maďarska, obavou pred útokom malodohodových štátov i nepriaznivými dôsledkami, ktoré by mohli stihnúť maďarskú menšinu v Československu v prípade neúspešného riešenia maďarsko-československého sporu.[102] K umiernenosti radili Imrédyho vláde voči Slovensku aj z Ríma a Varšavy.[103] Napokon maďarskí vládni činitelia si boli vedomí, že vojenský nástup proti Slovensku by sa stretol s odporom slovenského obyvateľstva a s odhodlanou obranou československej armády, ktorej vojenské prednosti neboli v Budapešti neznáme. Všetky tieto faktory rozhodli, že Imrédyho vláda riešenie „slovenskej otázky" aj ďalej videla jedine v diplomaticko-politickej oblasti a v preorientovaní sa hlinkovcov na Maďarsko. Ešte 29. septembra 1938 K. Kánya odkázal vedeniu HSĽS, že „jediná rada, ktorú môže dať Slovákom je to, aby už nežiadali autonómiu, ale s celou silou sa dožadovali sebaurčovacieho práva, s čím môžu počítať s našou plnou podporou. Ak však túto neprijmú, zodpovednosť za budúci vývoj ponesú sami".[104]

Napriek všetkému sa ešte v Budapešti nevzdali a v poslednej chvíli pred zvolaním konferencie štyroch veľmocí opäť priviedli na politickú scénu *F. Jehličku* a *V. Dvorčáka*. Obaja sa v mene tzv. Slovenskej rady usilovali vyniesť „slovenskú otázku" na medzinárodné fórum. Dožadovali sa, aby sa britsko-nemecké rokovania v Godesbergu zaoberali aj Slovenskom, najmä z hľadiska usporiadania plebiscitu. Za tým účelom Jehlička vypracoval 21. septembra 1938 tzv. memorandum, kde dokazoval „nutnosť" poskytnúť Slovákom „právo na sebaurčenie", ktoré by im umožnilo „slobodne" sa rozhodnúť pre pripojenie k Maďarsku. Aby za-

---

[102] OL, Küm. res. pol. 1938–7a–905, Budapešť 27. 9. 1938; AAN-MSZ 5432, telegram č. 57, Budapešť 28. 9. 1938; DIMK, II., s. 662–663, č. 401, s. 672, č. 413, s. 670, č. 411; ÁDÁM, M.: Maďarsko a mníchovská dohoda ..., s. 48.
[103] OL, Küm. res. pol. 1938–7a–926, Rím 27. 9. 1938; LANDAU, Z. – TOMASZEWSKI, J.: c. d., s. 325–326, č. 234; DIMK, II., s. 677, č. 419.
[104] DIMK, II., s. 681, č. 424.

kryl svoju úlohu samozvanca, vydával sa za blízkeho spolupracovníka už nebohého A. Hlinku, reprezentanta a nositeľa jeho politického kréda.[105] Za účelom aktivizácie slovenského problému odcestoval Jehlička 21. septembra do Londýna. O deň neskôr už žiadal Hitlera, aby sa stal „zástancom a ochrancom" Slovákov a o pár dní „Slovenská rada" odovzdala memorandum o Slovensku tajomníkovi Spoločnosti národov. Tesne pred začatím mníchovskej konferencie už Jehlička a Dvorčák opäť „apelujú" na veľmoci, aby „nezabudli" na Slovensko a žiadali pre Slovákov uplatnenie „práva na sebaurčenie".[106]

Celkovo možno konštatovať, že v čase zvolania mníchovskej konferencie sa maďarskej oficiálnej politike nepodarilo presadiť svoje revizionistické plány cez ľudácke vedenie. Kým v slovenskom politickom tábore maďarská politika nenašla silu, ani výraznú politickú skupinu, o ktorú by sa mohla oprieť a pomocou pochybných sľubov o slovenskej autonómii v rámci Maďarska presadiť revizionistické nároky na Slovensko, ani u veľmocí nenašla pochopenie pre svoje územné ašpirácie. Britská a francúzska vláda boli ochotné akceptovať iba požiadavky maďarskej menšiny, aj to nie súčasne s riešením nemeckej menšiny v Sudetách, ale až po jej uzavretí a to cestou rokovania s československou vládou. Pokiaľ išlo o Slovensko a najmä otázku plebiscitu, ako nástroja na pripojenie Slovenska k Maďarsku, obidve vlády ju odmietali, pretože vzťahy medzi Čechmi a Slovákmi pokladali výlučne za vnútorný problém československej vlády.[107] Keď posledný septembrový týždeň 1938 Imrédyho vláda svojím postojom v otázke vojenského vystúpenia proti Československu vyvolala proti sebe aj Hitlerovu nevôľu, neboli už

[105] OL, Küm, res. po. 1938–65–892. Memorandum „Slovenskej rady„ pre maďarskú vládu z 21. 9. 1938; HOENSCH, J. K.: Der ungarische Revisionismus..., s. 99.
[106] SÚA, fond AA. Krab. 25, č. 423078–80. Telegram F. Jehličku pre Hitlera z 22. 9. 1938; OL, Küm. res. pol. 1938–65–844, Budapešť 20. 9. 1938; Magyar Nemzet 24. 9. 1938.
[107] ÁDÁM, M.: Magyarország és a kisantant..., s. 293; DEÁK, L.: c. d., s. 260.

žiadne výhliadky, aby bol „slovenský problém" zaradený na program náhle zvolanej konferencie štyroch veľmocí.

Imrédyho vláda sa ešte pokúšala zachrániť situáciu tým, že tesne pred začatím rokovania veľmocí poslala do Mníchova *I. Csákyho*, vedúceho kabinetu ministerstva zahraničných vecí, aby získal podporu pre maďarskú revíziu u Hitlera a Mussoliniho. Csáky konkrétne žiadal veľmoci, aby sa do jedného mesiaca vyriešila aj otázka maďarskej menšiny a usporiadal plebiscit na Slovensku a na Zakarpatskej Ukrajine. Maďarská vláda ďalej navrhovala, aby sa okrem odtrhnutia československého územia, kde malo maďarské obyvateľstvo podľa sčítania obyvateľstva z roku 1910 majoritu, konal plebiscit na Slovensku a na Zakarpatskej Ukrajine v štyroch oddelených častiach, a to: 1. na území Zakarpatskej Ukrajiny a vo východnej časti Slovenska, kde bývalo ukrajinské obyvateľstvo; 2. na území Slovákmi obývanej časti východného Slovenska v bývalých župách Zemplín, Šariš a Spiš; 3. na juhu Slovenska v bývalých župách Tekov, Novohrad a Hont a 4. na ostatnom území Slovenska.[108]

Ako je známe, maďarské požiadavky okrem Mussoliniho, ktorý bol silný viac v rečiach než v činoch, na mníchovskej konferencii nenašli podporu u ostatných predstaviteľov veľmocí. Kým pre E. Daladiera a N. Chamberlaina myšlienka plebiscitu bola neprijateľná zo zásadného dôvodu, lebo by viedla k rozbitiu republiky a teda k ďalším vážnym komplikáciám, ktorým sa rozhodne chceli vyhnúť, Hitler nebol ochotný riešiť ďalší osud Československa za asistencie západných veľmocí, ale iba sám a podľa vlastných predstáv. Preto sa nestaval proti návrhu Západu, aby sa otázka maďarskej a poľskej menšiny riešila rokovaním do troch mesiacov medzi zainteresovanými vládami, čo utváralo priaznivé podmienky na to, aby v ďalšej etape už jedine nacistické Nemecko uplatňovalo svoju vôľu a hegemóniu nad ďalším osudom Československej republiky.

---

[108] DIMK, II., s. 680–681, č. 423; DTJSZ, IV, s. 283; HOENSCH, J. K.: Der ungarische Revisionismus..., s. 103–104.

III. CESTA K VIEDENSKEJ ARBITRÁŽI

1. Maďarsko sa nevzdáva Slovenska

Závery mníchovskej konferencie štyroch veľmocí vyvolali v maďarských vládnych kruhoch veľké sklamanie. Maďarská vládna politika a propaganda dlhé roky živili v maďarskej verejnosti nádej, že skoro dôjde k odčineniu „krívd" Trianonu, k návratu „strateného" územia a k obnoveniu „historickej" úlohy Maďarska v Podunajsku. Keď sa tak nestalo, v Budapešti zavládlo hlboké rozčarovanie. Nespokojnosť s mníchovským rozhodnutím bola tak búrlivá, že premiér B. Imrédy musel 1. októbra 1938 v rozhlase upokojiť rozvlnenú hladinu verejnosti.[1]

Najväčšiu nespokojnosť prejavovali ultranacionalistické sily a fašistické elementy, ktoré vyvolávali vo verejnosti atmosféru netrpezlivosti. Ostro útočili proti „umierneným" politikom vo vláde. Vytýkali im nerozhodnosť a kolísanie v čase, keď bolo treba jednoznačne vsadiť na nemeckú kartu. Tvrdili, že Imrédyho vláda sa svojím postupom vlastne sama pripravila o územnú korisť. Avšak ešte je čas, aby sa Maďarsko chopilo radikálnych činov a postavilo veľmoci pred fait accompli. Nech vláda využije situáciu, kým Praha prežíva „mníchovský šok", nastolí utlimatívne požiadavky, za ktorými by hneď nasledoval vojenský zásah

---

[1] AFMZV, TD, č. 1021 Budapešť 1. 10. 1938; ÁDÁM, M.: Magyarország és a kisantant..., s. 300.

a „oslobodenie" nielen územia, ktoré obýva maďarská menšina, ale celého Slovenska a Zakarpatskej Ukrajiny.[2] Aj keď sa Imrédyho vláde nepodarilo vyhnúť tlaku „radikálnych" živlov, predsa sa vyvarovala prenáhleného kroku. V otázke ďalšieho postupu voči Československu naprv sondovala postoj Berlína, Ríma a západných metropol, ktorý jednoznačne vyznieval v tom zmysle, aby Maďarsko nepoužilo silu, ale zvolilo cestu rokovania a riadilo sa mníchovským rozhodnutím.[3] Podobné stanovisko zaujali aj vodcovia maďarskej menšiny v republike, ktorí Imrédymu radili, aby sa vzhľadom na nepriaznivé dôsledky, ktoré by mohli stihnúť maďarskú menšinu, maďarská vláda vzdala vojenského útoku proti Československu.[4]

Za tejto situácie maďarským vládnym kruhom nezostávalo iné riešenie, ako si vymáhať územnú revíziu „mierovými" prostriedkami za podpory priateľských fašistických veľmocí. Imrédyho vláda, odvolávajúc sa na princípy a závery mníchovskej konferencie, žiadala okamžité odčlenenie československého teritória, ktoré obývala viac ako päťdesiatpercentná väčšina obyvateľstva maďarskej národnosti. V zmiešaných oblastiach navrhovala plebiscit, kým na ostatnom území Slovenska a Zakarpatskej Ukrajiny sa dožadovala uplatnenia „sebaurčovacieho práva".[5] Podľa chápania Budapešti „právo na sebaurčenie" sa malo realizovať prostredníctvom „vnútorných masových vystúpení" a verejne proklamovaných požiadaviek tamojších politických reprezentan-

[2] AFMZV, TD, č. 1058, Budapešť 4. 10. 1938; AÚML ÚV KSS. Fond Slovensko č. 1948, dok. 853; TILKOVSZKY, L.: Revízió és nemzetiségpolitika..., s. 32; Az Imrédy-per. Budapest 1945, s. 26.

[3] OL, Küm. res. pol. 1939–7a–950. Telefonický rozhovor I. Csáky – D. Sztójay 1. 10. 1938; Tamže, Küm. pol. 1938–7/7–3267, Rím 1. 10. 1938; HOENSCH, J. K.: Der ungarische Revisionismus..., s. 108–109.

[4] OL, Minisztertanácsi jegyzőkönyvek 1938. Zasadnutie ministerskej rady 6. 10. 1938, ÚHV SAV, zbierka mikrofilmov č. 51 RH.

[5] OL, Küm. pol. 1938–7/7–3265/3367/. Správa do Berlína 7. 10. 1938; Sprawy Międzynarodowe 1958/7–8, s. 71–72. Záznam o návšteve I. Csákyho vo Varšave 5.–6. 10. 1938.

tov,[6] čím maďarská politika chcela od seba odpútať pozornosť ako strojcu celej akcie a vyvrátiť tvrdenia susedných štátov, že Maďarsko má úmysel anektovať celé teritórium až po Karpaty. Maďarská politika zastávala názor, že „mníchovský šok", ktorý deštrukčne zasiahol československú politiku a výrazne oslabil pozície centralistických síl na Slovensku utvoril priaznivé podmienky na realizovanie maďarských ambícií v okyptenej republike. Odhliadnuc od toho, že Imrédyho vláda po Mníchove ťažisko svojej revizionistickej politiky zamerala na získanie Zakarpatskej Ukrajiny, lebo tam videla najlepšie šance na jej presadenie,[7] značnú pozornosť venovala aj myšlienke budúceho osudu Slovenska.

Na rozdiel od Zakarpatskej Ukrajny, kde maďarská politika mohla rátať s promaďarskou orientáciou časti politických reprezentantov a s podporou Poľska, na Slovensku sa politická situácia aj ďalej uberala v neprospech maďarských záujmov. Veľmi hlučne propagované revizionistické nároky Maďarska voči Slovensku v čase vrcholenia československej krízy spôsobili, že medzi slovenským obyvateľstvom silne narastali protimaďarské nálady. V dôsledku toho sa Imrédyho vláda ani v období preskupovania politických síl v republike a nástupu pravice nemohla v slovenskom prostredí oprieť o žiadnu silu, ani sa na medzinárodnom fóre na ňu odvolávať. Tak staršia generácia na Slovensku, ktorá na vlastnej skúsenosti zažila predvojnový maďarský režim, ako aj mladšia už vychovaná v československom duchu sa stavala proti obnoveniu starých pomerov a jednoznačne prehliadla ciele maďarskej propagandy a vo všeobecnosti nedôverovala maďarským sľubom. Nehovoriac už o sociálnej zaostalosti maďarských pomerov a o absencii demokratických a národnostných práv v Maďarsku, ktoré v žiadnom prípade nemohli vyvážiť československú realitu. V maďarských politických analýzach tohto obdobia sa s veľkou dávkou trpkosti upozorňovalo na

[6] OL, Küm. pol. szemjeltáviratok 1938, kimenő, Varšava č. 124, 3. 10. 1938; DIMK, II., s. 691–692, č. 437.
[7] HORY, A.: A kuliszák mögött. Viedeň 1965, s. 37.

negatívny faktor maďarských pomerov, ktorý pre Slovákov nie je ničím príťažlivý. Malú a bezvýznamnú promaďarskú hŕstku na Slovensku tvorili bývalí uhorskí úradníci, staré privilegované vrstvy, ktoré romanticky snívali o návrate starých čias. Podobne sem možno zaradiť i príslušníkov staršej generácie zhungarizovaných Nemcov, ktorí však strácali v politickom zápase s karmasinovcami na politickej sile.[8]

Pokiaľ išlo o postoj ľudáckeho vedenia k Maďarsku po Mníchove, situácia nebola o nič lepšia ako pred ním. Maďarská politika svojím hrubým nátlakom na ľudákov v kritických septembrových dňoch a nastolením otázky okamžitého odtrhnutia južného pásu Slovenska vyvolala negatívnu reakciu a nesúhlas s maďarskými plánmi so Slovenskom. Napriek veľkému úsiliu Budapešti oživiť myšlienku autonómie Slovákov v rámci Maďarska v čase, keď sa šírili správy o ľudákoch, že podnikajú rozhodné kroky na utvorenie vlastnej hegemónie na Slovensku, celkový efekt bol minimálny. Až na pár jednotlivcov maďarská politika nezískala v ľudáckom vedení podporu. Tesne pred žilinským vyhlásením v promaďarskom duchu sa angažoval *J. Jančzek*, senátor HSĽS, ktorý začiatkom októbra 1938 rokoval v Budapešti s maďarskými vládnymi činiteľmi a prisľúbil im, že v prípade poskytnutia autonómie, bude v ľudáckom vedení presadzovať ideu odtrhnutia Slovenska od republiky a jeho pripojenie k Maďarsku. Jeho pokus zostal však osihotený a v Žiline úplne prepadol.[9] Na maďarské ponuky ľudáci odpovedali slovami *M. Černáka*, ktorý 4. októbra 1938 v interwiew pre poľský časopis vyhlásil: „Neverím, že pre Slovákov by bola výhodná konfederácia s Maďarskom. Máme zlé spomienky na predvojnový prepiaty maďarský nacionalizmus". Do Budapešti vedenie HSĽS údajne odkáza-

---

[8] OL, Küm. pol. 1938–7/7–3396/3265/. Memorandum o spätnom pripojení Slovenska a Zakarpatskej Ukrajiny k Maďarsku, nedatované, uložené 10. 10. 1938; Tamže, ME, Flachbart E. gyűjteménye 1,d/dosszié. Správa z Bratislavy 15. 10. 1938; DÉRER, I.: Slovenský vývoj a ľudácka zrada. Praha 1946, s. 178.

[9] HOENSCH, J. K.: Der ungarische Revisionismus..., s. 118–119; Pred národným súdom. Bratislava 1947, s. 51; LUKEŠ, F.: c. d., s. 80.

lo, že nechce meniť Prahu za Budapešť, ale len za samostatnosť so sídlom v Žiline alebo v Bratislave.[10] Aj keď si Imrédyho vláda bola vedomá svojich slabín ohľadne Slovenska, nevzdávala sa úsilia o jeho ovládnutie. Bola presvedčená, že čas i celkový medzinárodný trend pracuje pre Maďarsko. V budapeštianskych politických kruhoch vznikali rôzne plány a koncepcie ako v pomníchovských pomeroch postupovať voči Slovensku a ako si tam vybudovať pozície. Menšia skupina znalcov, ktorá sa zaoberala Slovenskom, sa aj naďalej prikláňala k zastaralému a pomýlenému názoru, podľa ktorého by sa Slováci radi vrátili do Maďarska a práve oslabený a zmenšený československý štát a úpadok autority Prahy utvárajú vhodné podmienky na maďarské snahy a promaďarskú agitáciu. Druhá väčšia skupina skeptickejšie posudzovala výhliadky maďarskej politiky na Slovensku. Uvádzala viac prekážok; predovšetkým poukazovala na nevybudované kontakty a na celkovú zaostalosť Maďarska, ktoré nemá čím prilákať Slovákov. Obidve skupiny sa však zhodli v jednom; treba pripraviť priaznivú pôdu na promaďarskú orientáciu na Slovensku, aby postupne a pomocou zahraničných faktorov vplávalo do maďarských vôd. Za najvhodnejšiu formu dosiahnutia tohto cieľa sa pokladal plebiscit.[11] Celkovo v maďarskej politike voči Slovensku v tom čase môžeme postihnúť dve tendencie: jedna sa usilovala všemožne oslabiť československú štátnosť a čo najviac odcudziť slovenskú politiku od Prahy. Preto podporovala všetky akcie ľudákov, smerujúce k separatizmu, ktoré v konečnom dôsledku viedli k ochromeniu československej administratívy, polície a československej armády. Ak by sa to podarilo, potom by sa mohlo prejsť k druhej etape; k nanúteniu plebiscitu Slovensku za medzinárodnej podpory, čo by priamo umožnilo ovplyvniť pomery na Slovensku v du-

---

[10] SÚA-AA, č. 18897, Bratislava 4. 10. 1938; Illustrowanny Kurjer Codzienny 5. 10. 1938.

[11] OL, Küm. pol. 1938–7/7–3396/3265/. Memorandum o spätnom pripojení Slovenska a Zakarpatskej Ukrajiny k Maďarsku, nedatované, uložené 10. 10. 1938.

chu maďarskej politiky. Túto taktiku schvaľovalo aj Poľsko. *J. Beck* 5. októbra 1938 výslovne odkázal do Budapešti, aby Imrédyho vláda prijala rozhodnutie ľudákov nech je akékoľvek, pretože i keď zo začiatku bude plniť iba úlohu mostu medzi Poľskom a Maďarskom, v konečnom dôsledku nebude mať iné východisko než sa pridať k Maďarsku.[12]

Vážnejšie starosti vyvolal v Budapešti nemecký postoj voči Slovensku. Maďarská politika s narastajúcim nepokojom sledovala po Mníchove spoluprácu medzi ľudákmi a nemeckou menšinou, rapídne silnejúcu orientáciu slovenskej autonómnej vlády na Berlín a najmä správy o postupnej vazalizácii celej republiky.[13] Hoci na jednej strane nacistické plány so Slovenskom vyvolávali v Budapešti rozčarovanie a porušenie pôvodných Hitlerových sľubov, na druhej strane sa ešte verilo, že sa podarí nakloniť nacistov pre „veľkú revíziu", resp. za pomoci Talianska, Poľska, ale aj západných veľmocí eliminovať nemecký vplyv na Slovensku a zachrániť ho pre seba.

Najväčší dôraz maďaská politika kládla na sledovanie vnútropolitického vývinu na Slovensku. Podnikala všetko, aby ho ovplyvnila a usmernila v prospech maďarskej orientácie. Keďže ľudáci mierili už otvorene k nastoleniu vlastnej hegemónie a ignorovali ponuky maďarskej vlády, v Budapešti boli nútení zapojiť do hry o Slovensko znova slovenských renegátov a emigrantov, ktorých úspech bol vopred pochybný. Pobyt *Ľ. Bazovského* v Bratislave v dramatických mníchovských dňoch mal za cieľ informovať maďarské politické kruhy jednak o politických náladách na Slovensku a jednak pokúsiť sa ovplyvniť ľudácke vedenie ešte pred žilinským rozhodnutím. Ako z Bazovského správy vyplýva, vedenie HSĽS ho ignorovalo a opozíciu v ľudáckom

---

[12] DIMK, II., s. 721, s. 463.
[13] OL, Küm. pol. 1938–7/7–3265/3736/. Bratislava 31. 10. 1938; Tamže, Küm. res. pol. 1938–7–bez č. Informácia o politických náladách medzi spišskými Nemcami, bez dáta; Tamže, Minisztertanácsi jegyzőkönyvek 1938. Zasadnutie ministerskej rady 6. 10. 1938, ÚHV SAV, zbierka mikrofilmov č. 51 RH.

hnutí sa mu nepodarilo vytvoriť.[14] Preto navrhoval maďarskej vláde iné riešenie; obnovenie činnosti tzv. Slovenskej národnej rady, založenej roku 1933 v Banskej Bystrici, ktorá sa podľa jeho predstáv mala postupne pretvoriť na reprezentanta slovenskej politiky a získať na svoju stranu aj časť ľudákov. Prirodzene, že tieto Bazovského plány neprekročili oblasť úvah a hoci jeho správy vyznievali povzbudzujúco, boli málo presvedčivé a nereálne, a preto nenašli ani očakávaný ohlas a podporu v maďarských vládnych kruhoch.[15]

Začiatkom októbra 1938 sa aktivizovala aj druhá emigrantská skupina okolo politického dobrodruha Ľ. Koreňa, ktorá vystúpila s koncepciou „slobodného slovenského štátu". Hoci Koreňova predstava o budúcom postavení Slovenska v strednej Európe príliš neimponovala maďarskej politike, v Budapešti našla určitú podporu, pretože smerovala k rozbitiu československej štátnosti. Začiatkom októbra 1938 sa Koreň za maďarskej pomoci náhle ocitol v Poľsku, odkiaľ 4. októbra cez československého vyslanca poslal „ultimátum" československej vláde, v ktorom žiadal, aby hneď odovzdala moc nad Slovenskom prípravnému výboru „slobodného slovenského štátu", za ktorého predsedu sa samozvane menoval.[16] V opačnom prípade hrozil násilným uchopením moci a zamýšľal vtrhnúť so svojou skupinou na východné Slovensko a vyvolať tam povstanie. Keď tento dobrodružný plán skrachoval a nenašiel podporu ani z poľskej strany, Koreň odišiel do Berlína a tam sformuloval 14. októbra 1938 nové „ultimátum" tentoraz už určené slovenskej vláde, ale tak isto nedosiahol žiaden výsledok.[17] Tým Koreň stratil v Maďarsku na cene a maďarské ministerstvo vnútra mu vytýkalo, že odmietol vstú-

---

[14] OL, ME, Flachbart E. gyűjteménye 1, d/dosszié. Informácie Ľ. Bazovského zo 6., 7. a 9. 10. 1938.

[15] Tamže, ME, Flachbart E. gyűjteménye 1, d/dosszié. Informácie Ľ. Bazovského z 12. a 17. 10. 1938; TILKOVSZKY, L.: Revízió és a nemzetiségpolitika..., s. 30.

[16] AFMZV, TD, č. 1057, Varšava 4. 10. 1938; OL, K–428, krab. 1479. Správa MTI zo 7. 10. 1938; TILKOVSZKY, L.: Revízió és a nemzetiségpolitika..., s. 30–31.

[17] OL, Küm. pol. 1938–7/43-3414. Berlín 15. 10. 1938.

piť do vojenskej akcie proti Československu, odbočil od maďarskej línie a nemá v slovenskom tábore žiadnu oporu.[18] Maďarské politické kruhy s veľkým napätím očakávali závery žilinského zasadnutia. Celkovo v Budapešti prevládol názor, že keď sa nepodarilo získať ľudákov pre myšlienku autonómie v rámci Maďarska, treba Slovensku „pomôcť", aby sa odtrhlo od republiky. *I. Csáky* deň pred žilinským vyhlásením vo Varšave povedal, že „ak by rozhodnutie smerovalo k samostatnosti Slovenska, Maďarsko síce bude ľutovať, ale nepostaví sa proti, naopak, poskytne podporu v úsilí o samostatnosť Slovenska".[19] V tomto duchu vyznievala aj prvá oficiálna reakcia Imrédyho vlády na žilinskú deklaráciu. Brala na vedomie novú situáciu na Slovensku a interpretovala ju v tom zmysle, že akceptuje rozhodnutie slovenského národa riadiť svoj budúci osud a môže v tomto smere rátať s maďarskou podporou,[20] čo prakticky znamenalo, že očakávala od ľudáckej autonómie omnoho viac než sa stalo. Keď sa ukázalo, že v Žiline prevládlo umiernené krídlo, ktoré bolo proti okamžitému rozbitiu republiky, nespokojnosť maďarských politických kruhov bola očividná a v Budapešti zavládlo rozčarovanie. Zrútila sa dlhoročná téza maďarskej politiky, podľa ktorej Slovákov republika sklamala a ich návratu do Maďarska bráni iba Praha a mocenské prostriedky československého štátu. Maďarská politika si s horkosťou uvedomovala a maďarská tlač to s plnou otvorenosťou aj napísala, že ľudácka autonómia je ďaleko od maďarských želaní. Tým, že ľudáci „dôsledne" neaplikovali „sebaurčovacie právo", údajne sa na Slovensku málo zmenilo. Maďarské tlačové komentáre nenechali bokom ani maďarsko-slovenské vzťahy a s ľútosťou sa v nich konštatovalo, že

---

[18] OL, ME, Nemzetiségi 1938, 21 cs., č. 17105. Správa ministerstva vnútra 28. 10. 1938.

[19] Sprawy Międzynarodowe 1958/7–8, s. 72. Rokovanie Csákyho vo Varšave 5. 10. 1938.

[20] OL, Minisztertanácsi jegyzőkönyvek 1938. Zasadnutie ministerskej rady 6. a 7. 10. 1938, ÚHV SAV, zbierka mikrofilmov č. 51 RH.

v Žiline sa opäť pozabudlo na tisícročnú cestu a Slovensko sa znova rozhodlo pre vývin v duchu uplynulých „prchkých" dvadsiatich rokov, pričom sa „nebrali do úvahy objektívne a geografické aspekty Slovenska". Kým Milotayho Uj Magyarság varoval, že žilinské rozhodnutie ešte neznamená posledné slovo „slovenského ľudu", Magyar Nemzet vyjadril nádej, že „sklamaný slovenský národ predsa sa pustí na cestu dolu Dunajom, tým smerom, kde zurčia naše rieky a kde s láskou očakávajú slovenských bratov".[21]

Maďarská oficiálna politika svoj postoj k ľudáckej autonómii spočiatku neformulovala jednoznačne, a to z viacerých dôvodov. Aj keď ju na jednej strane prijala ako hotový fakt, na druhej strane svoje stanovisko urobila závislé od jej budúcich vzťahov k Maďarsku, k Prahe a separatistických ambícií ľudáckeho vedenia. Rovnako dôležitú úlohu tu zohrala aj skutočnosť, že maďarská vláda nemala záujem na zhoršovaní vzťahov so slovenskými autonomistami v čase, keď stála tesne pred rokovaním s Československom o nových hraniciach, najmä keď bolo známe, že československú delegáciu budú tvoriť slovenskí politici. Okrem toho Imrédyho vláda to pokladala za súčasť novej taktiky voči Slovensku, ktorou chcela čo najviac posilniť odstredivé sily na Slovensku a v neposlednej miere si robila nádej, že svojím gestom voči ľudákom sa podarí kanalizovať ich politiku na zblíženie s Maďarskom. Túto taktiku prezrádzala najmä aktivita maďarskej politiky počas komárňanských rokovaní v októbri 1938. Počas rokovaní maďarskej delegácie v Komárne bolo už na prvý pohľad zrejmé, že popri nekompromisných a ultimatívnych požiadavkách dávala nezakryte najavo, že v prípade väčšej nezávislosti Slovenska od Prahy a väčšieho záujmu ľudákov o zblíženie s Maďarskom, v Budapešti sú ochotní poskytnúť Slovensku

---

[21] ŠÚA-SSR, KÚ krab. 274, č. 65280. Správy rozhlasovej odpočúvacej služby zo 7. 10. 1938 Budapešť 1; Uj Magyarság 7. 10. 1938; Magyar Nemzet 8. 10. 1938; Budapesti Hirlap 8. 10. 1938.

priaznivé hospodárske koncesie.[22] Z maďarskej strany sa objavili v Komárne aj pokusy agitovať pre Maďarsko a dokonca maďarskí delegáti vyvíjali nátlak na časť slovenskej delegácie. V súkromných rozhovoroch presvedčovali niektorých členov československej delegácie, aby sa Slovensko odtrhlo od republiky a formou plebiscitu sa pripojilo k Maďarsku, pričom vyhlasovali, že Slováci budú mať zabezpečený „slobodný národný rozvoj" v maďarskom štáte. Okrem toho chceli vniesť nezhody do československej delegácie, označujúc jej vedúcich za „zapredancov Prahy" a celé rokovanie za „české intrigy".[23]

Do takej miery, ako sa zhoršovali maďarsko-slovenské vzťahy po rozbití komárňanských rokovaní, ako stúpalo sklamanie z ľudáckeho vedenia, budapeštianska vláda a maďarská tlač čoraz ostrejšie formulovali svoje výhrady k politickému vývinu na Slovensku a k ľudáckej autonómii. Stále mocnejšie zaznievali hlasy, že s ľudáckou autonómiou nesúhlasí slovenský národ a teda nesplnila svoje poslanie. Keďže nevznikla prostredníctvom plebiscitu, údajne nevyjadruje sebaurčovacie právo. Tým, že ľudáci prijali autonómiu od ústrednej vlády a slovenskí ministri zložili sľub do rúk Syrového, aj budúci politický vývin na Slovensku závisí od blahovôle Prahy, čo je údajne v rozpore s princípom sebaurčovacieho práva. Dokonca sa tvrdilo, že utvorenie „tieňových vlád" na Slovensku a na Zakarpatskej Ukrajine pod „českým" patronátom nielen nevyriešilo zložitý národnostný problém v republike, ale ho ešte viac skomplikovalo.[24] Z toho vyplýva, že maďarská politika sa všemožne usilovala dokázať, že ľudácka auto-

---

[22] AFMZV, Právna sekcia, krab. 64, f. 11. Rokovanie s Maďarskom. Záznam z II. schôdzky československo-maďarského rokovania v Komárne 10. 10. 1938; Tamže, záznam z plenárneho československo-maďarského rokovania v Komárne 12. 10. 1938.

[23] AFMZV, Právna sekcia, krab. 61, f. 2. Rokovanie s Maďarskom. Záznam o súkromnom stretnutí československých a maďarských expertov v Komárne v hoteli Centrál 11. 10. 1938.

[24] AFMZV, TD č. 1077, Budapešť 7. 10. 1938; Magyarság 8. 10. 1938; Krisztics, S.: c. d., s. 44.

nómia nevyriešila slovenský problém v republike. Keďže Slovensko zostalo súčasťou Československa a vo východnej časti sa aj ďalej uplatňovali mocenské páky československého štátu, maďarská politika bola sklamaná, že nemohla uplatniť svoju koncepciu na Slovensku. Z toho dôvodu ľudácku autonómiu bagatelizovala, hlásajúc, že vedenie HSĽS len dovtedy bolo nositeľom sebaurčovacieho práva, kým vystupovalo proti Prahe. Po získaní autonómie z rúk Prahy už toto právo stráca a pre Slovensko v novej situácii existuje už iba jedno východisko a to „dôsledne" aplikovať sebaurčovacie právo prostredníctvom plebiscitu.[25] Táto argumentácia bola určená najmä Berlínu a mala oslabiť narastajúce vzťahy nacistov s ľudáckym vedením a prezentovať ľudácku autonómiu ako nástroj Prahy, ktorá by sa mala nahradiť maďarskou koncepciou. Navyše o ľudáckej autonómii v Budapešti tvrdili, že je zradou „Hlinkového dedičstva". Najmä po neúspešných rokovaniach v Komárne maďarská tlač nešetrila kritikou ľudáckych vodcov, ktorých nazývala renegátmi a chcela ich tak skompromitovať v domácom prostredí.[26]

V maďarskej vládnej politike od októbra 1938 jednoznačne prevládala téza – a ľudácka autonómia to ešte umocnila – že návrat Slovákov do Maďarska sa môže uskutočniť jedine cestou plebiscitu. Táto myšlienka najviac zamestnávala politikov v Budapešti a bola aj najlepšie prepracovaná, podložená patričnou argumentáciou a získala aj najväčšiu publicitu doma i za hranicami. Maďarská vláda sa usilovala túto otázku neustále udržiavať na programe dňa a spájala ju tak s problémom doriešenia menšinovej otázky v republike, ako aj s poskytnutím budúcich garancií československých hraníc. Tým chcela dať otázke plebiscitu aj väčšiu vážnosť pri rokovaniach s Československom a po-

---

[25] OL, Küm. pol. 1938–7/7–3265/3561/. Správa Ľ. Bazovského zo 17. 10. 1938; DIMK, II., s. 831, č. 565.

[26] OL, Küm. pol. 1938–7–bez č. Stanovisko k Československu; Tamže, Küm. pol. 1938–7/7–3701. Rusovce 28. 10. 1938; ŠÚA–SSR, KÚ, krab. 274. Správy rozhlasovej odpočúvacej služby z 15. a 16. 10. 1938, Budapešť 1.

staviť československú politiku pred dilému: buď sa podriadí plebiscitu alebo celý problém prejde do kompetencie veľmocí, ktoré podľa Maďarska mali československú vládu donútiť rešpektovať zásadu sebaurčovacieho práva podľa vzoru Nemecka. Pri argumentácii o potrebe plebiscitu na Slovensku maďarská politika vychádzala zo svojej interpretácie, podľa ktorej veľmoci v Mníchove rozhodli o uplatnení sebaurčovacieho práva pre všetky národnosti v republike. To znamená, že stabilizácia pomerov v Podunajsku a pokojné nažívanie národov sa môže dosiahnuť jedine komplexným prebudovaním celého územia Československa a poskytnutím práv všetkým národnostiam a národom. Táto požiadavka – zdôrazňovala maďarská propaganda – nie je motivovaná mocenským záujmom Maďarska, ale diktovaná historickým právom a logicky vyplýva zo záujmu Maďarska o národy, s ktorými 1000 rokov žilo v spoločnom štáte a ktoré Trianon „umelo" rozdelil. Maďarsko nechce byť ich tútorom, ale súčasne mu to neprekáža, aby nepodporilo spoluprácu v Podunajsku, najmä keď tieto malé národy sú odkázané jeden na druhého.[27] Znova sa oprášili staré argumenty o hospodárskej a geopolitickej „jednote" Slovenska a Zakarpatskej Ukrajiny s Maďarskom, ktorá je „prirodzená", má starú tradíciu a jej rozpad spôsobil najväčšie škody práve týmto národom. Mníchovské rozhodnutie, ktoré viedlo k odstúpeniu územia Nemecku a Poľsku, vynieslo na svetlo aj ďalšie dôkazy. Tvrdilo sa, že v zmenšenom Československu sa pomery zmenili do takej miery, že východná časť štátu nemôže očakávať pomoc od Čiech a nie sú žiadne výhliadky, aby sa perspektívne zladili hospodárske a politické záujmy obidvoch častí republiky. Tým sa údajne vynorila otázka, či za situácie, keď republika bola územne okliešená a medzinárodne i vnútorne oslabená, Slováci majú záujem o ďalšie zotrvanie v nej. Preto im treba dať príležitosť, aby sa sami „slobodne" rozhodli. Samozrejme, maďarská propaganda si nenechala ujsť prí-

---

[27] TARJÁN, Ö – FALL, E.: Magyarok, Szlovákok és Ruthének a dunavölgyben. Budapest 1938, s. 6–8; Magyar Nemzet 12. 10. 1938.

ležitosť, aby nepoukázala na „nebezpečenstvo" pre Slovensko po strate územia na západe, ktoré mu „hrozí" z drancovania jeho prírodného bohatstva.[28] Všetky tieto argumenty smerovali k jednému cieľu – vynútiť si plebiscit na Slovensku a utvoriť priaznivú medzinárodnú atmosféru na ovládnutie celého Slovenska. Napokon maďarská propaganda v domácom prostredí nerobila z toho žiadnu tajnosť a bez okolkov vyhlasovala, že Slováci na zabezpečenie svojej nezávislosti môžu nájsť najpriaznivejšie podmienky iba v úzkej spolupráci s Maďarskom a v jeho štátnom rámci.[29] Zaujímavá je aj skutočnosť, ako si maďarská politika predstavovala praktickú realizáciu plebiscitu a čo od neho očakávala. Maďarská vláda sa usilovala presadiť zásadu, aby akt plebiscitu prebiehal za podobných pomerov, aké vládli na Slovensku pred rokom 1918. Bola to kľúčová otázka, pretože len v takomto prípade mohla predpokladať priaznivý výsledok. Formálne síce v Budapešti boli ochotní súhlasiť s „medzinárodnou kontrolou" (myslelo sa predovšetkým na Taliansko), ktorá mala plebiscitu vtlačiť pečať medzinárodnej vážnosti a hodnovernosti, súčasne však žiadali, aby sa hlasovania zúčastnili len osoby, ktoré mali domovské právo na Slovensku pred vznikom československého štátu, čím sa malo vyradiť obyvateľstvo českej národnosti a umožniť zasiahnuť do vývinu pomerov na Slovensku emigrantom a protičeskoslovenským živlom, ktorí žili v Maďarsku. Rovnako maďarská vláda trvala aj na druhej veľmi významnej požiadavke, podľa ktorej by v čase príprav plebiscitu, teda niekoľko mesiacov, nevykonával právomoc československý administratívny aparát, mocenské zložky polície a armády. Rátalo sa totiž s tým, že takáto situácia utvorí živnú pôdu pre maďarskú propagandu a umožní vyvíjať priamy nátlak na obyvateľstvo, najmä za pred-

---

[28] OL, Küm. pol. 1938–7/7–3396/3265/. Memorandum o spätnom pripojení Slovenska a Zakarpatskej Ukrajiny k Maďarsku, nedatované, uložené 10. 10. 1938; TARJÁN, Ö. – FALL, E. c. d., s. 47–48; SZVATKÓ, P.: A visszatért magyarok. Budapest 1938, s. 87–88.
[29] KRISZTICS, S.: c. d., s. 29.

pokladu, že by signatári mníchovskej dohody prejavili svoj dezinteres a medzinárodné kontrolné orgány nechali voľný priechod maďarskej agitácii. Ak by sa podarilo nanútiť Česko-slovensku myšlienku plebiscitu za uvedených podmienok, maďarská politika rátala s týmto výsledkom: na východnom Slovensku, vrátane oblasti, kde bývali Ukrajinci a v zmiešaných krajoch, sa predpokladalo, že viac než 50 % obyvateľstva sa vysloví za pripojenie k Maďarsku. Na strednom a západnom Slovensku sa nerátalo s nadpolovičnou väčšinou.[30] To však neznamenalo, že Maďarsko nepredpokladalo určitý úspech aj v týchto krajoch.

Ako sme už uviedli, v maďarskej politike revízia, vychádzajúca z etnického princípu, nehrala rozhodujúcu úlohu. Maďarsko neustále zdôrazňovalo, že Uhorsko bolo mnohonárodnostným štátom a na miesto „rasového bratstva" sa tam dlhé stáročia uplatňovalo „národnostné bratstvo". Táto téza sa opäť oživila a dostala konkrétnu interpretáciu najmä v pomníchovskom období, keď sa Budapešti zdalo, že menšinová otázka bude už v krátkom čase uzavretá. Vtedy maďarská politika pokladala vhodný čas posunúť myšlienku revízie o krok ďalej. Začala opäť kriesiť ideu mnohonárodnostného štátu, ktorú odela do nového rúcha a zdôvodnila jej opodstatnenie niekoľkými modernými viacnárodnými štátmi. V Maďarsku tvrdili, že hranice štátu nemusia byť vždy v súlade s jazykovou a etnickou hranicou. Dokazovali, že pri utváraní niektorých štátnych celkov nebola rozhodujúca etnická a jazyková príslušnosť, ale subjektívny faktor, ktorý najvýznamnejšie determinoval príslušnosť k tomu, či onému štátu. Vytýkali slabiny sčítaniu obyvateľstva na základe materinskej reči, pretože takto získané výsledky odrážajú iba jedno kritérium, a to príslušnosť k určitému jazyku a etniku, ale zanedbávajú druhý dôležitý činiteľ, kde chce skúmaný subjekt žiť. Tento závažný faktor

---

[30] OL, Küm. pol. 1938–7/7–3396/3265/. Memorandum o spätnom pripojení Slovenska a Zakarpatskej Ukrajiny k Maďarsku; Tamže, OL, Küm. res. pol. 1938–65–1148. Rusovce 24. 10. 1938; Tamže, Minisztertanácsi jegyzőkönyvek 1938. Zasadnutie ministerskej rady 8. 10. a 27. 10. 1938. ÚHV SAV, zbierka mikrofilmov č. 51 RH.

možno zistiť jedine plebiscitom. V mnohých prípadoch sa aplikoval po prvej svetovej vojne a ukázalo sa, že časť obyvateľstva jedného etnika a jazyka sa rozhodla žiť nie v národnom, ale v inom štáte.[31] Tým sa dospelo k záveru, že Slovensko sa môže vrátiť do lona maďarského štátu nielen na základe historického princípu, ale cestou plebiscitu, a to za „priaznivých" okolností buď celé alebo jeho časť. Aj v prípade čiastočného úspechu plebiscitu sa rátalo s tým, že okyptené Slovensko nebude životaschopné a skôr či neskôr vpláva do maďarských vôd. Osobitnú kapitolu v maďarskej politike tvorili názory na východnú časť Slovenska. Konkrétne išlo o obyvateľstvo hovoriace východoslovenským dialektom a o obyvateľstvo ukrajinskej národnosti. Táto časť republiky sa v maďarskej koncepcii vždy chápala rozdielne od ostatného Slovenska a spájala sa historicky, tradíciou i hospodárskymi záujmami so Zakarpatskou Ukrajinou. Argumentovalo sa, že východoslovenské nárečia sa „podstatne" líšia od stredo- a západoslovenských a obyvateľstvo Spiša, Šariša a Zemplína má iné povedomie, ktoré obsahuje viac spoločných čŕt so Zakarpatskou Ukrajinou, resp. s „historickým" Uhorskom než s ostatným Slovenskom.[32] Tieto osobitné črty východoslovenského regiónu sa v maďarskej politike nielen neustále zdôrazňovali, ale od konca 19. storočia aj výdatne podporovali, čo sa najmarkantnejšie prejavovalo v Dvorčákovskom separatistickom úsilí, ktoré pod zámienkou „osobitného" historického vývinu Slovákov na východe a ich povedomia, malo byť „uchránené" od celoslovenského hnutia Slovákov, vyčlenené z tela slovenského etnika a udržané v duchovnej i mocenskej sfére hungarizmu.[33] Preto, keď maďarská politika presadzovala myšlienku plebiscitu, na východnom Slovensku využí-

---

[31] OL, ME, Flachbart E. gyűjteménye 1, d, časť T. Expertíza o otázke pripojenia Slovenska a Zakarpatskej Ukrajiny k Maďarsku, nedatované (október 1938).
[32] Tamže; STEIER, L.: c. d., s. 18; ĎURČANSKÝ, F.: Pohľad na slovenskú politickú minulosť. Bratislava 1943, s. 270–271.
[33] Pozri MIŠKOVIČ, A.: Maďarské úmysly so Sloviakmi. Bratislava 1944.

vala celú škálu argumentov na ovplyvňovanie jeho výsledku a rátala v tejto oblasti s najmenším odporom.[34] Maďarská politika si bola vedomá, že myšlienka plebiscitu na Slovensku sa stane skutkom vtedy, ak sa podarí presvedčiť o jej oprávnenosti veľmoci. Jej úspech zasa závisí od toho, v akej miere bude môcť pôsobiť maďarská propaganda na Slovensku a či sa podarí paralyzovať mocenský vplyv československého štátu. Keďže Taliansko bolo naklonené maďarskému úsiliu, v Budapešti kládli veľký dôraz na získanie francúzskych a britských politických kruhov pre myšlienku plebiscitu. Maďarská vládna propaganda na Západe pracovala v dvojakom smere; najprv chcela presvedčiť vládne kruhy a získať verejnú mienku pre tézu, že Československo je už úplne stratené a akákoľvek jeho podpora znamená vlastne posilnenie nemeckého vazala v strednej Európe. Ak Západ chce kompenzovať nacistickú prevahu, musí prispieť svojou pomocou k formovaniu neutrálneho maďarsko-poľského bloku, ktorý by sa postavil do cesty ďalšiemu nemeckému prenikaniu tak na Balkán, ako aj na východ. Vo Francúzsku sa kládol dôraz na argumentáciu, že keďže Malá dohoda je mŕtva, francúzska politika sa musí preorientovať na utvorenie nového bloku, ktorý sa postaví proti nemeckej expanzii. Ak by maďarská politika v tomto smere dosiahla úspech, potom možno postúpiť o krok ďalej a presvedčiť Západ o „nevyhnutnosti" urobiť územnú revíziu v prospech Maďarska, pričom maďarská politika nezabudla pripomenúť, že je „morálnou povinnosťou" Západu, aby napravil „omyly" Trianonu a vzdal sa obrany „neschopného" Československa. Okrem toho si v Budapešti chceli nakloniť Západ tvrdením, že Maďarsko sa neprispôsobovalo nacistami hlásanému etnickému princípu, ale usiluje sa o „reálnejšiu" historickú, hospodársku a geopolitickú „jednotu", ktorej súčasťou je aj Slovensko.[35] Z hľadiska Maďarska stanovisko Francúzska

[34] OSZK, Kézirattár. Szüllő G. hagyatéka. Fond X/26. Správa Szüllőa o rozhovore s G. Cianom v Ríme 13. 10. 1938; OL, Küm. res. pol. 1938–65–1148. Správa z Bratislavy 24. 10. 1938.

a Veľkej Británie nebolo uspokojivé, pretože neprejavovali pochopenie pre myšlienku plebiscitu, ani pre spoločnú maďarsko--poľskú hranicu.[36]

Pokiaľ išlo o Poľsko, maďarská vláda od neho očakávala, že výdatne podporí jej úsilie v Londýne a Paríži a celým svojím významom sa zasadí za utvorenie spoločnej hranice a navyše nielen pomôže pri plebiscitnej kampani, ale sa aktívne zúčastní ako jeden z partnerov medzinárodnej kontroly.[37]

Z bývalých malodohodových štátov Maďarsku najviac záležalo na Juhoslávii. Preto sem mierila snaha Budapešti, ktorá bola zameraná na získanie juhoslovanskej vlády pre zblíženie s taliansko-maďarským blokom, čím chcela v juhoslovanskej politike utvoriť ilúzie, že nová kombinácia nahradí bývalé malodohodové spojenectvo.[38]

Veľmi významnou oblasťou, kde mala preniknúť plebiscitná propaganda a s ňou i maďarská argumentácia, bolo samo územie Slovenska. Rozsiahla kampaň za uskutočnenie plebiscitu sa viedla tlačou, rozhlasom, veľmi aktívnou letákovou akciou, tichou propagandou a pomocou piatej kolóny, ktorou bola maďarská menšina a časť zhungarizovanej nemeckej menšiny na Slovensku. Táto bola zameraná v prvom rade na vyvolanie nedôvery k československej štátnosti, na rozloženie československej armády, mocenských orgánov, ako hlavných opôr udržania spoločného štátu Čechov a Slovákov. Tu zaznievali ostré protičeské výzvy, obvinenia z „českého teroru" a heslá: „Nerokujte s Čechmi, neverte im, sami rozhodnite o svojom osude" a pod.[39]

[35] OL, Küm. pol. 1938–7/25–3092/897/. Pro domo 11. 10. 1938; Tamže, Küm. pol. 1938–7/7–3396/3265/. Memorandum o spätnom pripojení Slovenska a Zakarpatskej Ukrajiny k Maďarsku; BARANKOVICS, I.: A münchemi egyezmény és a békés revízió elve. In: Az ország útja 1938/10, s. 264–265.

[36] OL, Küm. pol. 1938–7/7–4467, Londýn 15. 12. 1938.

[37] OL, Küm. pol. 1938–7/7–3396/3265/. Memorandum o spätnom pripojení Slovenska a Zakarpatskej Ukrajiny k Maďarsku.

[38] OL, Küm. pol. 1938–7/7–3396/3265/. Memorandum o spätnom pripojení Slovenska a Zakarpatskej Ukrajiny k Maďarsku.

[39] ŠÚA-SSR, KÚ krab. 270 č. 64044. Letáková akcia; Tamže, č. 64090. Správa o letákoch z Modrého Kameňa 16. 10. 1938.

Nechýbala kritika ani na adresu ľudáckej autonómie, ktorá údajne málo vystupuje proti „českej nadvláde" na Slovensku a je iba nástrojom Prahy. Ako východisko sa odporúčalo okamžité skoncovanie s republikou a „slobodné" rozhodnutie Slovákov o vlastnom osude, a to buď vyhlásením samostatného Slovenska alebo optovaním k Maďarsku.[40] Veľa pozornosti maďarská propaganda venovala heslu priateľstva a pomoci maďarského štátu „slovenským bratom", ktoré bolo sprevádzané veľmi priehľadným až primitívnym lákaním do lona tisícročnej „vlasti", kde Slovákov údajne čaká víno, pšenica, pokoj a láska maďarského kraja. Druhýkrát sa zasa sľubovalo, že Slovensko v lesku svätoštefanskej koruny bude slobodné náboženský, politicky i hospodársky. Dokonca táto naivná propaganda zašla tak ďaleko, že neváhala hovoriť o sociálnych vymoženostiach pre chudobných v Maďarsku. Súčasne v mnohých letákoch a výzvach v tlači a rozhlase sa hovorilo, aby sami „Slováci odvalili hraničný kameň trianonského diktátu" a zaslúžili sa o návrat do starej vlasti.[41] Uvádzali sa správy o nespokojnosti a nepokojoch na Slovensku, o demonštráciách maďarskej a nemeckej menšiny za návrat k Maďarsku a dokonca o „žiadostiach" slovenských miest Martina, Nitry, Banskej Štiavnice pripojiť sa k maďarskému štátu.[42] Na východnom Slovensku maďarská propaganda sa zamerala na odtrhnutie žúp Spiš, Šariš a Zemplín od republiky, pričom odznievali priame výzvy, aby tamojšie obyvateľstvo spolu so Zakarpatskou Ukrajinou žiadalo o pripojenie k Maďarsku.[43]

[40] AFMZV, Kabinet vecný, krab. 46. Rokovanie s Maďarskom r. 1938, č. 152. 463. Správa ministerstva národnej obrany 25. 10. 1938; ŠÚA-SSR, KÚ, krab. 274. Odpočúvacia rozhlasová služba zo 16. 10. 1938 Budapešť 1; Tamže, KÚ, krab. 270 č. 62.348. Leták zo Štúrova 22. 10. 1938; OL, K-428, krab. 1479. Správa rozhlasovej stanice „bujdosó Szlovák" z 8. 10. 1938.

[41] ŠÚA-SSR, KÚ, krab. 270, č. 65.879. Leták z Moldavy 14. 10. 1938; Tamže, č. 62.335 a 62.339. Letáky z južného Slovenska z druhej polovice októbra 1938.

[42] ŠÚA-SSR, KÚ, krab. 273, č. 64.190. Odpočúvacia rozhlasová služba, správy z 21., 27., 29. 10. 1938, Budapešť 1.

[43] ŠÚA-SSR, KÚ, krab. 270. Letáky z východného Slovenska z októbra 1938.

Predĺženú ruku maďarskej propagandy tvorila aj piata kolóna ZMS, ktorá sa 7. októbra 1938 pretvorila na MNR a vyvíjala aktivitu nielen na území, kde bývala maďarská menšina, ale vo všetkých väčších mestách na Slovensku. Pracovala v intenciách obnovenia svätoštefanskej ríše, či už organizovaním rôznych provokačných akcií a protičeskoslovenských výziev alebo kampaňou za pripojenie Slovenska k Maďarsku, čo sa konkrétne prejavilo v mnohých rezolúciách, zlučovaním hungarofilských spolkov a organizovaním spoločných akcií s promaďarsky orientovanou časťou nemeckej menšiny, najmä na Spiši.[44] Táto protištátna aktivita maďarskej a časti nemeckej menšiny viedla k tomu, že autonómna vláda bola nútená koncom októbra 1938 zakázať ich činnosť a rozpustiť tak MNR, ako aj nemecko-maďarskú národnú radu na Spiši.[45]

Maďarská vládna politika nezabudla ani na agitáciu v radoch slovenskej menšiny v Maďarsku a medzi Slovákmi v USA, ktorou sa malo podporiť úsilie Maďarska o pripojenie Slovenska k maďarskému štátu. Bolo to potrebné najmä z hľadiska maďarskej propagandy v zahraničí, ktorá mala vyznieť v tom zmysle, že aj Slováci mimo republiky schvaľujú požiadavku, aby slovenský národ plebiscitom rozhodol o svojej budúcnosti. V októbri v Békéscsabe a Szarvasi maďarská vláda zorganizovala manifestáciu pod dozorom policajných orgánov, ktorá mala ukázať, že Slováci, žijúci v Maďarsku, majú všetky národnostné práva o čom mali dokumentovať aj vopred inscenované vyhlásenia slovenských spolkov a korporácií. Účastníci manifestácie prijali rezolúciu, v ktorej sa žiadalo, aby sa Slováci v „Hornej zemi" na základe

---

[44] ŠÚA-SSR, KÚ, krab. 256 č. 66.500. Správa z Košíc 13. 10. 1938; Tamže, č. 67.405. Správa z Gelnice 23. 10. 1938; Tamže, č. 70.661. Správa z Levoče 3. 11. 1938; OL, Küm. res. pol. 1938–7–bez č. Memorandum o otázke pripojenia Spiša k Maďarsku, bez dáta; Tamže, Küm. res. pol. 1938–7–bez č. List pre K. Kányu do Komárna predstaviteľov 14 maďarských organizácií v Bratislave o otázke pripojenia mesta k Maďarsku.

[45] ŠÚA-SSR, KÚ, krab. 256 č. 64.006. Správa o zákaze činnosti MNR z 29. 10. 1938; Tamže, ÚPV, krab. 1, č. 389. Správa zo Spišskej Novej Vsi 28. 10. 1938.

plebiscitu rozhodli pre tisícročnú vlasť. Táto rezolúcia bola potom poslaná diplomatickému zboru v Budapešti a veľmociam ako prejav „slobodnej vôle" Slovákov v Maďarsku.[46] Stranou neostala ani skupina slovenských emigrantov a renegátov, žijúcich v Budapešti, ktorí tak isto na manifestácii vyslovili „naliehavú požiadavku", aby sa Slovensko vrátilo do lona maďarského štátu. Medzi aktívnymi účastníkmi nechýbal ani V. Dvorčák a Ľ. Bazovský, ktorí si nárokovali právo hovoriť v mene všetkých Slovákov.[47] Napokon maďarská vládna propaganda si nezabudla objednať podporu pre myšlienku plebiscitu ani od promaďarsky orientovaných Slovákov v USA. K. Kánya priamo pohrozil G. Košíkovi, ktorý bol dlhé roky v službách maďarskej politiky, že ak nedá pozitívne vyhlásenie v mene amerických Slovákov v otázke plebiscitu, maďarská vláda stratí záujem o jeho spoluprácu.[48]

2. Československo-maďarské rokovania v Komárne

Veľmoci v Mníchove neprisúdili Maďarsku žiadne československé územie. V dodatku záverečného protokolu konferencie sa hovorilo jedine o potrebe riešiť problém maďarskej menšiny v Československu cestou rokovania medzi obidvoma zainteresovanými vládami. Ak by sa v priebehu troch mesiacov nepodarilo dosiahnuť dohodu, potom o celej veci rozhodú štyri signatárne veľmoci.[49] Z pohľadu maďarskej politiky to bolo neuspokojivé riešenie, pretože Maďarsko nielenže odišlo s prázdnymi rukami,

---

[46] ŠÚA-SSR, KÚ, krab. 274, č. 66.492 a č. 66.911. Odpočúvacia rozhlasová služba 10. a 16. 10. 1938 Budapešť 1; TILKOVSZKY, L.: Revízió és a nemzetiségpolitika..., s. 32.

[47] ŠÚA-SSR, KÚ, krab. 274, č. 66.492. Odpočúvacia rozhlasová služba 10. 10. 1938 Budapešť 1.

[48] ŠÚA-SSR, KÚ, krab. 270, č. 66. 329. Leták o stanovisku amerických Slovákov k návratu Slovenska do Maďarska; DIMK, II., s. 831, č. 565.

[49] MDI., s. 272.

ale jeho revizionistické ašpirácie voči Československu zostali aj v budúcnosti neisté. Navyše v Budapešti si boli vedomí, že Maďarsko je vojensky a mocensky slabé na to, aby si samo vynútilo územné ústupky od československého štátu. Muselo rátať s tým, že každý útok proti Československu by sa rovnal dobrodružstvu s nedoziernymi dôsledkami, lebo by narazil na odpor lepšie a modernejšie vyzbrojenej armády. Okrem toho ani postoj Juhoslávie a Rumunska nenechával Maďarsko na pochybách, že v prípade použitia sily proti republike, by odpovedali tiež protiútokom. Napokon ani v politickom, geografickom a strategickom ohľade sa Maďarsko nemohlo porovnať s Poľskom a svojvoľne ignorovať mníchovské rozhodnutie.[50]

Za tejto situácie sa Imrédyho vláde nenaskytla iná cesta, ako zvádzať zápas s oslabeným Československom na diplomatickom poli a vymáhať si územnú revíziu v duchu mníchovskej dohody, a to napriek tomu, že cesta rokovania pre Maďarsko nezaručovala úspech. Preto v maďarských vládnych kruhoch zavládol odôvodnený skeptizmus k rokovaniu s československou vládou a celkovo sa neverilo, že mierovou cestou bude možno uspokojiť revizionistické nároky Maďarska. Imrédyho vláda sa síce z taktických dôvodov nestavala proti myšlienke rokovania, najmä keď to žiadali veľmoci, ale v skutočnosti neočakávala od neho efekt a podnikala všetko, aby maďarské územné nároky voči republike opäť dostala na program mníchovských veľmocí. Sám K. Kánya 1. októbra 1938 na zasadnutí ministerskej rady vyhlásil, že „neverí, ba pokladá za nemožné, aby sa Maďarsko dohodlo s Československom cestou rokovania.[51]

Maďarská vláda okamžite začala vyvíjať na Československo nátlak v zmysle záverov mníchovskej konferencie. Už 1. októbra 1938 poslala oficiálnu nótu do Prahy, v ktorej žiadala začať priame rokovania o budúcnosti maďarskej menšiny a o poskytnutí

---

[50] ÁDÁM, M.: Magyarország és a kisantant..., s. 301; HOENSCH, J. K.: Der ungarische Revisionismus..., s. 108.
[51] KARSAI, E.: Stalo sa v Budíne v Šándorovskom paláci (1919–1941). Bratislava 1963, s. 337.

sebaurčovacieho práva ostatným menšinám na tom istom princípe, ktorý uplatnili sudetskí Nemci. Apelovala na československú vládu, aby urýchlene oznámila, kedy a kde chce začať rokovať s Maďarskom.[52] Po tejto nóte každý deň nasledovali ďalšie, v ktorých sa uvádzali nové a nové argumenty na začatie rozhovorov.

Raz sa poukazovalo na netrpezlivosť maďarskej verejnej mienky, druhý raz sa hovorilo o „neznesiteľnom" postavení maďarskej menšiny v republike, pričom sa zvyšoval ich ultimatívny a výhražný tón. V nóte z 3. októbra 1938 maďarská vláda oznámila, že skôr než sadne za rokovací stôl, žiada, aby Československo na znak dobrej vôle splnilo 4 podmienky: 1. prepustilo politických väzňov maďarskej národnosti; 2. demobilizovalo a prepustilo vojakov maďarskej národnosti z armády; 3. utvorilo zmiešané bezpečnostné zbory na udržanie poriadku v oblasti maďarskej menšiny a 4. odovzdalo ešte pred rokovaním 2–3 pohraničné mestá Maďarsku. Napokon maďarská vláda navrhla, aby už 6. októbra začalo rokovanie oboch vlád.[53]

Keďže Maďarsko si nemohlo vynútiť územné ústupky mocensky, využívalo nátlak pomocou spriatelených veľmocí a začalo viesť proti republike „malú" vojnu. Rozpútalo teroristické a diverzné akcie na pohraničí a vnútri republiky. Usilovalo sa vyvolať vnútorný rozklad a chaos a podnecovalo mnohé incidenty a vojenské prepady na československej hranici. Všetky tieto akcie mali za účel destabilizovať československé pomery, upokojiť „radikálov" doma a v neposlednej miere prinútiť československú vládu, aby čo najskôr pristúpila k rokovaniu.[54]

---

[52] AFMZV, Právna sekcia. Krabica 59, f. 1, bez č., Praha 1. 10. 1938; DIMK, II., s. 689, č. 432.

[53] AFMZV, Dôverný londýnsky archív 1939–1945. Krabica 134. Dokumenty k Mníchovu; DIMK II., s. 697, č. 443, s. 707, č. 449, s. 714, č. 457.

[54] AFMZV, Kabinet vecný. Krab. 73. Správy ministerstva národnej obrany 3. a 5. 10. 1938; Tamže, PS č. 69 Budapešť 5. 10. 1938; OL, Küm. res. pol. 1939–7a–978, Praha 5. 10. 1938; ŠÚA-SSR, KÚ, krab. 255, č. 64.953. Správa z Košíc 5. 10. 1938.

Československá vláda spočiatku odolávala maďarskému tlaku. Hneď na druhý deň po mníchovskej konferencii Praha oznámila do Budapešti, že je ochotná rokovať o otázke maďarskej menšiny a navrhovala vytvoriť spoločnú komisiu expertov, ktorí by vec pripravili. Pokiaľ však išlo o začatie rokovania, československá vláda odkázala, že nesúhlasí s nepripraveným a prenáhleným rokovaním. Preto Maďarskom navrhnutý termín neprijala a navrhla náhradný – polovicu októbra 1938. Pokiaľ išlo o 4 maďarské požiadavky, bola ochotná ich akceptovať, ale až po dosiahnutí zásadnej dohody. To znamená, že chcela postupovať podobne ako pri rokovaní s Nemeckom a Poľskom.[55] V snahe získať podporu pre svoje stanovisko a paralyzovať maďarský tlak, československá vláda požiadala Francúzsko, Veľkú Britániu, Juhosláviu a Rumunsko, aby vyzvali Imrédyho vládu k umiernenosti a aby sa vzdala unáhlenosti a nerozvážnosti, ktoré by mohli vyústiť do konfliktu s ďalekosiahlymi konzekvenciami.[56]

Avšak toto československé stanovisko po niekoľkých dňoch podľahlo modifikáciám, ktoré vyvolala nová vnútropolitická situácia v republike. V dôsledku demisie prezidenta E. Beneša, vládnej krízy a vyhlásenia ľudáckej autonómie na Slovensku československá vláda požiadala Maďarsko o oddialenie rokovania, s čím v Budapešti súhlasili.[57] V tom istom čase radila Prahe juhoslovanská a rumunská vláda, aby začala hneď rokovať, pretože Maďarsko v najbližších dňoch pripravuje na Slovensku vážne akcie, ktoré by mohli mať pre republiku ďalekosiahle následky.[58] Alarmujúce správy prichádzali aj od vyslanca M. Kobra z Budapešti. Tento upozorňoval vládu, že pravicové a nacionalistické živly vyvíjajú na maďarskú vládu nátlak, nútia ju stupňovať po-

[55] AFMZV, TO, č. 1441, Praha 2. 10. 1938; Tamže, TO, č. 1488–1522, Praha 4. 10. 1938; Tamže, Právna sekcia. Krab. 64, f. 14, č. 140.999. Rozhovor I. Krno-J. Vörnle 5. 10. 1938 v Prahe; OL, Küm. pol. 1938–7/7–3333, Praha 5. 10. 1938.
[56] AFMZV, TO č. 1484–1488, Praha 3. 10. 1938.
[57] AFMZV, TO č. 1549–1573, Praha 5. 10. 1938; DIMK, II., s. 722, č. 464.
[58] AFMZV, TO č. 1064, Belehrad 5. 10. 1938; Tamže, TD č. 1066, Bukurešť 5. 10. 1938.

žiadavky a k radikálnym akciám, v dôsledku čoho sa Imrédy ocitá v ťažkej situácii. Z československého hľadiska je výhodnejšie rokovať s touto vládou a nečakať na eventuálne nastolenie vlády krajnej pravice. „Preto radím" – písal Kobr – „hneď rokovať, hoci len symbolicky".[59] Tieto faktory rozhodli, že na urgentné maďarské nóty zo 6. a 7. októbra 1938 československá vláda odpovedala, že najneskôr 9. októbra začne rokovať s maďarskou vládou v Komárne. 6. októbra sa ministerská rada uzniesla, že československú delegáciu budú tvoriť výlučne slovenskí a ukrajinskí zástupcovia, o ktorých konkrétne rozhodne najbližšia ministerská rada za prítomnosti predsedu slovenskej autonómnej vlády J. Tisu. Tak sa aj stalo. Nasledujúci deň československá ústredná vláda menovala delegáciu, ktorá bola splnomocnená rokovať s Maďarskom s tým, že si vyhradila právo konečného rozhodnutia. Za predsedu delegácie určila J. Tisu, za ďalších členov delegácie: *F. Ďurčanského,* generála *R. Viesta, I. Krnu* a *I. Parkányiho,* ministra bez portfeuillea za Zakarpatskú Ukrajinu.[60] Československá vláda zastávala názor, že takéto zloženie delegácie bude dostatočnou garanciou obrany slovenských hraníc. Toto rozhodnutie pokladala za oprávnené tým viac, že ľudáci sa radikálne domáhali, aby Praha bez autonómnej vlády nerozhodovala o otázke úpravy hraníc s Maďarskom. Tým zároveň Syrového vláda preniesla časť zodpovednosti pri rokovaní s Maďarskom aj na Tisovu vládu.[61]

Maďarská vláda priaznivo prijala zloženie československej delegácie. Dúfala, že neskúsení slovenskí politici budú povoľnejší k maďarským argumentom a podarí sa skoro dosiahnuť priazni-

59 AFMZV, TD č. 1062, Budapešť 5. 10. 1938; Tamže, PS č. 69 Budapešť 5. 10. 1938.
60 SÚA, PMR, krab. 3165, č. 24.264/38. Výťah z protokolu 7. 10. 1938; AFMZV, Právna sekcia, krab. 60, f. 3, č. 8158. Uznesenie ministerskej rady 6. 10. 1938; Tamže, Právna sekcia, krab. 59, č. 140.539/II-1/38. Maďarská nóta zo 7. 10. 1938; DIMK, II., s. 731, č. 477, s. 737, č. 485.
61 VÁVRA, F.–EIBEL, J.: Viedenská arbitráž – dôsledok Mníchova. Bratislava 1963, s. 53; FEIERABEND, L.: Ve vládách druhé republiky. New York 1961, s. 52.

vú dohodu, najmä keď zo Slovenska prichádzali do Budapešti „hodnoverné" správy, že ľudácke vedenie sa nebude stavať proti odčleneniu územia maďarskej menšiny. Okrem toho si maďarská vláda robila nádej, že ľudáckych politikov bude možno šikovnou taktikou, sľubmi a hospodárskymi koncesiami odlákať od republiky a usmerniť do maďarských vôd. Nechýbali ani plány získania slovenských autonomistov pomocou Vatikánu.[62] Maďarská vláda sa 8. októbra 1938 zaoberala blížiacim sa československo-maďarským rokovaním a určila cieľ a taktiku maďarskej delegácie. Určila jej radikálne žiadať územie, kde žila nadpädesiatpercentná väčšina maďarskej národnosti podľa štatistiky z roku 1910. Kým v otázke návratu Bratislavy Imrédy i Kánya dávali malú nádej na úspech, pretože roku 1910 nemala maďarskú majoritu, pri Košiciach zdôrazňovali, že budú trvať na ich bezpodmienečnom odtrhnutí od republiky. K. Kánya vyhlásil: „Nechceme dlho rokovať s československou vládou. Ak sa s ňou nedohodneme, potom sa obrátime na arbitráž veľmocí".[63] Celkovo vtedy v Maďarsku vládol názor, že sa naskytá historická šanca pre územnú revíziu, a preto žiaden kompromis neprichádzal do úvahy. Z maďarského postoja vyplývalo, že maďarská delegácia od začiatku bagatelizovala rokovanie a využívala ho na to, aby pred veľmocami demonštrovala neochotu Československa dohodnúť sa s Maďarskom na bilaterálnej úrovni.

Rokovanie zastihlo československú stranu celkovo nepripravenú, a to tak z hľadiska vypracovania koncepcie, ako aj prípravy podkladov pre rokovanie. Zasadnutie ministerskej rady nevypracovalo 7. októbra 1938 postup československej delegácie, ani sa neurčila konkrétna taktika. Hovorilo sa iba všeobecne o evakuácii československého územia a o jej modalitách, o ktorých sa de-

---

[62] OL, Minisztertanácsi jegyzőkönyvek 1938. Zasadnutie ministerskej rady 7. 10. 1938, ÚHV SAV, zbierka mikrofilmov č. 51 RH; OL, Küm. pol. 1938–7/7–3265, Varšava 8. 10. 1938; DIMK, II., s. 735, č. 482.
[63] OL, Minisztertanácsi jegyzőkönyvek 1938. Zasadnutie ministerskej rady 8. 10. 1938, ÚHV SAV, zbierka mikrofilmov č. 51 RH.

legácia mala dohodnúť s maďarskou stranou počas rokovania. Podľa inštrukcií ministerskej rady vedúci československej delegácie mal vopred konzultovať o celom probléme s I. Krnom, ktorý bol najviac zasvätený do československo-maďarských rokovaní a navyše zastával aj stanovisko ministerstva zahraničných vecí.[64] Obidve delegácie pristupovali k rokovaniu z určitých pozícií. Z ultimatívne formulovaných maďarských požiadaviek sa dalo usúdiť, že maďarská politika rátala s pomocou Nemecka, Talianska a Poľska. V skutočnosti sa po Mníchove karta obrátila a situácia sa v strednej Európe uberala v neprospech obnovenia „historických" hraníc. V Budapešti nechceli brať do úvahy fakt, že už nemajú do činenia s buržoáznodemokratickým Československom, ale s pravicou v republike, ktorá sa tiež orientovala na Berlín a tam hľadala ochranu proti prehnaným maďarským územným požiadavkám. Zo dňa na deň sa rozpadol nemecko-maďarsko-poľský protičeskoslovenský blok. Nemecko po Mníchove urobilo náhly obrat. Kulo vlastné plány s oslabeným Československom a odmietlo všetky akcie Maďarska a Poľska, ktoré by viedli k nežiadúcemu zosilneniu ich pozícií v tejto oblasti. Hitler v dôsledku váhania Imrédyho vlády v kritických mníchovských dňoch korigoval svoj názor na budúcnosť východnej časti republiky. Bol ochotný akceptovať iba maďarské nároky, vychádzajúce z etnického princípu, čím prakticky odmietol prehnané maďarské teritoriálne ašpirácie a utvorenie spoločnej hranice s Poľskom.[65]

Na postoj československej delegácie vplývali viaceré faktory. Bolo to v čase, keď F. Chvalkovský, nový minister zahraničných vecí, menil princípy československej politiky, budoval nové kon-

---

[64] AFMZV, Právna sekcia, krab. 58, f.11, č. 13; ŠÚA-SSR, Národný súd, krab. 81, č. 6/46–43. Výpoveď J. Tisu pred súdom 1. 12. 1946.

[65] ADAP, D, IV, s. 45–47, č. 45; LUKEŠ, F.: c. d., s. 118–119; ÁDÁM, M.: Magyarország és a kisantant..., s. 304–305; DANÁŠ, J.: Ľudácky separatizmus a hitlerovské Nemecko. Bratislava 1963, s. 93.

takty s Berlínom a Rímom, odkiaľ očakával aj garancie nových hraníc republiky. Do Budapešti odkázal, že má záujem na utvorení dobrých susedských vzťahov, a preto sa bude usilovať finalizovať rokovania s Maďarskom.[66] V novej situácii si aj slovenská autonómna vláda nárokovala zasahovať do rokovaní. Obávala sa totiž, že Praha v záujme získania skorých garancií hraníc od veľmocí bude ústupčivejšia voči Maďarsku a navyše ľudáci tvrdili, že v porovnaní so sudetskou otázkou rokovanie s Maďarskom prebieha v „iných podmienkach". Ľudácke vedenie s nekritickým optimizmom vyhlasovalo, že „výsledok nebude tak krutý ako pre tzv. historické zeme, lebo slovenská vláda je v lepšej situácii, nakoľko má tiež na svojej strane sympatie veľmocí".[67] Ľudáci verili, že po oslabení centralistickej politiky a utvorení autonómie na Slovensku sa im podarí ľahšie nájsť spoločný jazyk s maďarskou delegáciou. Na základe spoločného postupu s maďarskou menšinou v zápase za autonómiu si robili ilúzie, že Maďarsko sa uskromní s autonómiou maďarskej menšiny na Slovensku a ak by sa tento plán nevydaril, maďarská strana sa uspokojí aj s malým územným ziskom.[68] Tieto a podobné fikcie ľudákov sa rozplynuli už prvý deň rokovania.

Maďarská delegácia prišla do Komárna v reprezentatívnom zložení a po každej stránke spôsobilá viesť ostré diplomatické súboje. Na čele delegácie stál sám K. Kánya, minister zahraničných vecí, ktorý sa sústreďoval na politické aspekty a argumenty, kým *P. Teleki*, minister školstva a cirkevných vecí, známy geograf a znalec etnických pomerov v starom Uhorsku sa orientoval na otázky hraníc a etnického maďarsko-slovenského rozhraničenia. Súčasne však treba konštatovať, že obaja prejavili v Komárne malú samostatnosť a podľahli tlaku z Budapešti. B. Imrédy ich každý deň volal telefonicky a dával im nové inštrukcie a nabádal k ráznosti a neústupnosti.[69]

---

[66] OL, Küm. pol. 1938–7/7–3438/168/, Rím 7. 10. 1938; LUKEŠ, F.: c. d., s. 91–92.
[67] Slovák 11. 10. 1938.
[68] SÚA-AA, č. 19.431, Bratislava 11. 10. 1938; HOENSCH, J. K.: Der ungarische Revisionismus..., s. 131; VÁVRA, F.–EIBEL, J.: c. d., s. 67.

J. Tiso, vedúci československej delegácie, nemal žiadne medzinárodné skúsenosti. Nielenže dovtedy neviedol žiadnu vládnu delegáciu na medzinárodné fórum, ale podobného rokovania sa sám prvýkrát zúčastnil. Keďže od žilinského vyhlásenia uplynulo iba pár dní, Tiso bol zaneprázdnený mnohými vnútropolitickými problémami, preto na zvolanie porady československej delegácie, kde by sa vypracovala koncepcia a podrobná taktika voči Maďarsku, už nezvýšil čas.[70] Československá delegácia nevedela, s čím vystúpi maďarská strana a v akom rozsahu bude žiadať odstúpenie územia. Aj v otázke zostavenia a zvolania expertov situácia nebola o nič lepšia. V poslednej chvíli pred začatím rokovania sa zvolávali experti, ktorí boli roztrúsení po celom Slovensku.

Obidve delegácie zasadli k spoločnému rokujúcemu stolu 9. októbra 1938 večer, pričom maďarská delegácia hneď dala na vedomie, že jej nejde o žiaden kompromis. Svoje požiadavky formulovala ultimatívne a prísne sa riadila inštrukciami svojej vlády, ktoré zneli: nerokovať, ale žiadať. Celé rokovanie prebiehalo v atmosfére neustáleho tlaku maďarskej strany, ktorý bol sprevádzaný stupňujúcimi vyhrážkami, každodennými incidentmi na hraniciach a vpádmi civilných a vojenských jednotiek na československé teritórium, ako aj organizovaním protištátnych akcií maďarskej iredenty na Slovensku. Keďže maďarská delegácia si bola vedomá, že čas pracuje pre Československo, usilovala sa dosiahnuť úspech ešte skôr, než by československá vláda stačila usporiadať svoje pomníchovské vnútorné a zahraničné problémy a stiahnuť vojenské sily na maďarské hranice.[71]

Skôr, ako maďarská delegácia pristúpila k meritu rokovania, žiadala, aby sa vyjasnili štyri podmienky, ktoré sformulovala v

---

[69] DTJSZ, IV., s. 391.

[70] Vojenskohistorický ústav. Bratislava, OVDS, č. 650. Rukopis pamätí R. Viesta, s. 4.

[71] AFMZV, Právna sekcia, krab. 64, f.11. Záznam z I. schôdzky československo-maďarských rokovaní v Komárne 9. 10. 1938; DIMK, II., s. 738–745, č. 487, s. 780–781, č. 509; HOENSCH, J. K.: Der ungarische Revisionismus..., s. 131.

nóte z 3. októbra 1938. Od ich pozitívneho riešenia očakávala zlepšenie svojej situácie vo viacerých smeroch. V prvom rade bola presvedčená, že tým posilní pozície maďarskej iredenty na Slovensku, zvýši zasahovanie do vnútorných vecí republiky a v neposlednej miere prispeje aj k upokojeniu verejnej mienky doma, ktorá očakávala od vlády rýchly a výrazný úspech v rokovaniach. Po vzájomnej výmene názorov K. Kánya vyjadril sklamanie nad československou odpoveďou, pretože z maďarského aspektu uspokojivo riešila iba otázku odstúpenia dvoch pohraničných miest – Šiah a Slovenského Nového Mesta. Prvá schôdzka sa skončila odovzdaním maďarského memoranda aj s návrhom na jednotlivé etapy evakuácie československého teritória. Súčasne československá delegácia obdržala mapu s presným vymedzením územia, na ktoré si Maďarsko robilo nárok.[72]

V memorande maďarská vláda vysvetlila zásady, z ktorých vychádzali jej územné požiadavky. Vyslovila názor, že trvalý mier v tomto regióne možno dosiahnuť jedine rýchlym určením nových hraníc a prebudovaním československého štátu podľa „priania všetkých národností". Žiadala v oddelených častiach Slovenska a Zakarpatskej Ukrajiny realizovať plebiscit. Budúci osud maďarskej menšiny chcela riešiť na podobných princípoch, ktoré uplatnilo Nemecko a Poľsko. V závere zdôraznila potrebu dosiahnutia dohody vo všetkých otázkach. Ak by sa tak nestalo, maďarská vláda odmietala garantovať novú situáciu a hranice.[73]

Podľa vyznačenej čiary na odovzdanej mape Maďarsko žiadalo odstúpiť v priebehu 10 dní rozsiahle teritórium na juh od línie: Devín, Bratislava, Nitra, Tlmače, Levice, Lučenec, Rimavská Sobota, Jelšava, Rožňava, Košice, Trebišov a Pavlovce vrátane. Toto územie malo rozlohu 12 124 km² s 1 136 000 obyvateľmi (pod-

---

[72] AFMZV, Právna sekcia, krab. 64, f.11. Záznam z I. schôdzky československo-maďarských rokovaní v Komárne 9. 10. 1938; DIMK, II., s. 738–746, č. 484; VÁVRA, F.–EIBEL, J.: c. d., s. 66–67.

[73] AFMZV, Kroftov archív, krab. 4. Memorandum maďarskej vlády z 9. 10. 1938 s prílohou o návrhu na modality evakuácie; DIMK, II., s. 744–745, č. 487b.

ľa štatistiky z roku 1910 s 1 030 794 obyvateľmi), ktoré tvorilo 22,9 % celkového obyvateľstva Slovenska. Podľa sčítania obyvateľstva z roku 1930 tam žilo 549 376 maďarskej a 431 545 slovenskej národnosti.[74] Maďarsko sa pri určovaní novej hranice odvolávalo na etnografickú zásadu, kde podľa štatistík z roku 1910 žilo viac než 50 % Maďarov. Túto formuláciu maďarská vláda zvolila najmä kvôli signatárom mníchovskej dohody, avšak v skutočnosti ju neakceptovala. Nárokovala si na súvislé slovenské etnické územie, ktoré ani podľa pochybných štatistík z roku 1910 nespĺňali maďarské kritériá. Najmarkantnejšie sa to prejavilo v okolí Bratislavy a pri Košiciach. V prvom prípade nová hraničná čiara zaberala aj Bratislavu a jej blízke okolie, ktoré ani v roku 1910 nemalo maďarskú majoritu. V druhom prípade išlo o okolie Košíc, kde maďarský návrh ešte výraznejšie vyčleňoval zo slovenského etnika niekoľko desiatok slovenských dedín.[75]

Z maďarskej taktiky jasne vyplývalo, že Imrédyho vláda sa usilovala využiť etnickú zásadu ako fasádu, aby ňou zakryla všetky svoje územné nároky. Jej hlavným cieľom nebolo utvorenie etnických hraníc medzi obidvoma štátmi, ale uplatnenie ďalekosiahlejších plánov, t. j. postupné obnovenie svätoštefanskej ríše. Maďarská politika sledovala jasný cieľ; prerušiť spojenie republiky s Rumunskom, zredukovať slovenské teritórium na minimum a maximálne ho okyptiť. Slovensko malo byť odrezané od nížin, od prístupu k Dunaju, zbavené väčších miest, kde sa sústreďoval hospodársky kolobeh, prerušené významné dopravné a komunikačné tepny a najmä spojenie východu republiky so západom. Prakticky to znamenalo urobiť Slovensko neschopným života a plne závislé od Maďarska, čo by ho priamo hnalo do náručia Budapešti.

---

[74] AFMZV, Právna sekcia, krab. 64, č. 61. Štatistická expertíza z Komárna; Tamže, Právna sekcia, krab. 59, č. 161.725. Štatistický prehľad; Tamže, Právna sekcia, krab. 58, f.11, bez č. Správa z Komárna; ÁDÁM, M.: Magyarország és a kisantant..., s. 310.

[75] AFMZV, Právna sekcia, krab. 64, č. 56. Expertíza z Komárna.

Maďarská delegácia sa netajila názorom, že predložené územné požiadavky chápe ako nápravu „krívd" Trianonu. Nešlo jej teda o riešenie otázky maďarskej menšiny v republike, ale o komplexné riešenie „omylov" minulosti. Podľa tejto tézy veľmoci v Mníchove nerozhodovali o existujúcom spore o menšinách, ale o nespravodlivosti mierových zmlúv. Z toho potom logicky vyplývalo, že maďarské vládne kruhy sa usilovali reštituovať stav spred prvej svetovej vojny a ignorovali všetky politické zmeny po roku 1918 a prirodzený vývin, ktorým prešlo Slovensko v priebehu 28 rokov.[76] Pre maďarskú politiku akoby sa zastavil čas a riadila sa výlučne heslom: „Mindent vissza". Rokovanie k meritu veci začalo vlastne až 10. a 11. októbra a malo búrlivý priebeh. Československá delegácia najprv odovzdala odpoveď na maďarské memorandum, v ktorej vyjadrila zásadné výhrady k maďarskému návrhu. Jednoznačne odmietla diskutovať o otázke sebaurčovacieho práva pre Slovensko a Zakarpatskú Ukrajinu. Vo veci územných nárokov Maďarska vyhlásila, že sú neprijateľné, pretože „vôbec nezodpovedajú skutočnému rozdeleniu národností a sú v plnom protiklade so životnými záujmami štátu". V závere československá delegácia vyjadrila presvedčenie, že „bude možno nájsť inú bázu pre pokračovanie rokovania".[77]

Potom nasledovala dramatická polemika o zásadách a kritériách určenia budúcich hraníc, do ktorej sa ďalší deň plne zapojili aj experti obidvoch rokujúcich strán. P. Teleki vyhlásil, že Maďarsko pri vypracovaní novej hraničnej čiary „striktne" akceptovalo etnický princíp určený mníchovskou konferenciou. Ak by Maďarsko uplatnilo aj historický princíp, na ktorý „má právo" alebo hospodársky aspekt, potom by maďarské územné ašpirá-

---

[76] AFMZV, Právna sekcia, krab. 61, f. 2, bez č. Záznam zo spoločnej porady československých a maďarských expertov v Komárne 11. 10. 1938; Horthy Miklós titkos iratai. Budapest 1962, s. 182.

[77] AFMZV, TD č. 1102, Komárno 10. 10. 1938; Tamže, Kroftov archív, krab. 4. Československá odpoveď na maďarské memorandum 10. 10. 1938; DIMK, II., s. 751, č. 488a.

cie boli ešte rozsiahlejšie. Dokazoval, že južné svahy stredného a východného Slovenska hospodársky gravitujú k Maďarsku. Ich hospodársku prosperitu možno zabezpečiť iba oživením „prirodzeného" kolobehu s Maďarskom.[78] Kým Maďarsko svoje hlavné argumenty postavilo na „krivdách" minulosti, československá delegácia bránila existujúci súčasný stav. Všemožne sa usilovala oslabiť, resp. zmeniť strnulé maďarské stanovisko. Dokazovala nespoľahlivosť a tendenčnosť uhorských štatistík z roku 1910, ktoré nielen neodrážali skutočný obraz národnostného rozdelenia Uhorska, ale navyše odzrkadľovali aj vyvrcholenie maďarského odnárodňovacieho procesu, ktorý sa najmarkantnejšie prejavoval práve na slovensko-maďarskom etnickom rozhraní a vo väčších mestách na Slovensku. Preto československá delegácia radikálne odmietla prijať za základ určenia etnickej hranice štatistické údaje z roku 1910. Zdôraznila, že tieto už v čase ich vzniku neodrážali reálne národnostné pomery na Slovensku. Napokon by bolo krajne nespravodlivé po takmer tridsaťročnom prirodzenom vývine dovolávať sa uhorských pomerov z roku 1910.[79] Keďže podľa Československa rokovanie má riešiť existujúci stav nezhôd, navrhovala, aby sa zobrala za základ najbližšia štatistika, t. j. z roku 1930, v ktorej sa najlepšie premietalo súčasné národnostné rozvrstvenie. Keď Teleki tento návrh radikálne odmietol, československí zástupcovia navrhli druhý variant – údaje z roku 1880, keď maďarské štatis-

---

[78] AFMZV, Právna sekcia, krab. 64, f.11. Záznam z II. schôdzky československo-maďarských rokovaní v Komárne 10. 10. 1938 a z III. schôdzky 11. 10. 1938 o 15. hodine; Tamže, Právna sekcia, krab. 61, f. 2, bez č. Záznam zo spoločnej porady československých a maďarských expertov v Komárne 11. 10. 1938; DIMK, II., s. 747–750, č. 488, s. 752–753, č. 489, s. 754–757, č. 490.

[79] OL, Minisztertanácsi jegyzőkönyvek 1938. Zasadnutie ministerskej rady 13. 10. 1938, ÚHV SAV, zbierka mikrofilmov č. 51 RH; AFMZV, Právna sekcia, krab. 64, f.11. Porada slovenských a podkarpatsko-ukrajinských delegátov v Komárne 11. 10. 1938; Tamže, Právna sekcia, krab. 58, f.11, č. 46. Porada československých expertov v Komárne 12. 10. 1938; ŠÚA-SSR, SL, krab. 71, bez č. Expertíza o neprijateľnosti maďarskej štatistiky z roku 1910; HOENSCH, J. K.: Der ungarische Revisionismus..., s. 152.

ticky ešte neboli poznačené silnou maďarizačnou vlnou, avšak ani tento kompromisný návrh neprešiel.[80] Maďarská delegácia nebola prístupná žiadnym argumentom a neprišla do Komárna rokovať, ale diktovať. Jej najväčšia sila nespočívala v skutočnej argumentácii, ale v odvolaní sa na zásady, ktoré uplatnilo Nemecko a Poľsko a vo vedomí, že pre svoje územné nároky nájde plnú podporu v Berlíne, Ríme a Varšave. Keďže československá delegácia neprišla do Komárna už s vypracovanou a hotovou koncepciou, jej postoj sa kryštalizoval v priebehu rokovania. Najprv chcela vedieť rozsah maďarských požiadaviek, a preto so svojím protinávrhom vyčkávala. Československá delegácia hovorila len vo všeobecnej rovine a svoje úsilie zamerala najmä na zmiernenie maďarských požiadaviek. Tisovo vyhlásenie o zmenách, ktoré nastali na Slovensku po 6. októbri 1938, ochota k hospodárskej spolupráci s Maďarskom a rozšírenie práv maďarskej menšiny na Slovensku mali za účel mierniť maďarskú delegáciu v tóne i merite veci. Okrem toho československá strana pracovala na získaní času, aby jednak umožnila schádzajúcim sa expertom analyzovať maďarské požiadavky, vypracovať protinávrh a jednak, aby proti tlaku Maďarska a jeho prehnaným územným nárokom hľadala podporu v zahraničí.[81]

Tri dni rokovania ukázali, že sa nepodarilo preklenúť vzájomné rozdielne stanoviská a rozhovory viazli. Maďarská delegácia nebola ochotná počkať niekoľko dní na vypracovanie československého protinávrhu a pohrozila opustením Komárna. Dňa 11. októbra zhrnula svoje stanovisko do vyhlásenia, v ktorom vyjadrila sklamanie nad priebehom rokovania. Vytýkala československej delegácii „malé pochopenie" pre maďarské požiadavky, slabú

[80] ŠÚA-SSR, SL, krab. 72, bez č. Záznam A. Straku z československo-maďarských rokovaní v Komárne 10. 10. 1938; AFMZV, Právna sekcia, krab. 65, f. 5, č. 96. Expertíza o otázke slovensko-maďarskej hranice.
[81] LUKEŠ, F.: c. d., s. 122; HOENSCH, J. K.: Der ungarische Revisionismus..., s. 134; Pred súdom národa. I. Bratislava 1947, s. 29; ČULEN, K.; Po Svätoplukovi druhá naša hlava. Midletown 1947–48, s. 220–221; Slovák 9. a 12. 10. 1938.

pripravenosť a taktiku odďaľovania rokovania. Zdôrazňovala, že ak Československo neuplatní v praxi sebaurčovacie právo pre všetky národnosti, maďarská vláda odmieta garantovať novú situáciu.[82] Táto posledná pasáž vyvolala na československej strane vážne starosti, pretože tým sa rokovanie pre Československo stalo bezcenné. Pre československú vládu bolo neprijateľné, aby za ústupky v území nezískala garancie hraníc od Maďarska. Preto trvala na stanovisku, že s odstúpením územia sa musí definitívne vyriešiť aj hraničný spor medzi obidvoma štátmi.[83]

Vzhľadom na to, že maďarská vláda odmietla podať nový modifikovaný návrh a úporne bránila svoj pôvodný variant, situácia sa dala zachrániť jedine tlakom na Maďarsko zo zahraničia a rýchlym vypracovaním československého protinávrhu. V oboch smeroch československá vláda podnikla patričné kroky. *I. Krno* 11. októbra odcestoval do Prahy informovať vládu o priebehu rokovania. Na základe toho vláda vypracovala ďalší postup a taktiku a krajnú hranicu československých ústupkov. Ministerská rada určila, aby delegácia využila slabiny maďarskej štatistiky z roku 1910, najmä porovnaním vývinu nemeckej menšiny na Slovensku s československou štatistikou z roku 1930. Ďalej súhlasila, aby delegácia rokovala s Maďarskom o odstúpení okresov alebo ich častí, ktoré podľa posledného sčítania obyvateľstva mali maďarskú väčšinu. Na odvetu však žiadala modifikovanie hraničnej čiary s prihliadnutím na hospodárske záujmy štátu, ďalej výmenu obyvateľstva a hospodársku a územnú kompenzáciu na iných úsekoch.[84]

Československá vláda sa obrátila o pomoc aj do zahraničia. Žiadala Paríž, Londýn, Belehrad a Bukurešť, aby intervenovali proti prehnaným územným nárokom Maďarska a neustálemu tlaku Budapešti. Výsledok nezostal bez účinku. Francúzsko a Ju-

[82] AFMZV, Právna sekcia, krab. 58, f.11, č. 22. Vyhlásenie maďarskej delegácie v Komárne 11. 10. 1938; DIMK, II., s. 757–759, č. 490a.
[83] AFMZV, Právna sekcia, krab. 59, f.1, č. 785. Praha, pro domo 12. 10. 1938.
[84] AFMZV, Právna sekcia, krab. 58, f.11, č. 143.386.

hoslávia vyzvali maďarskú vládu k umiernenosti a zrieknutia sa plebiscitu na Slovensku. Rumunsko zašlo ešte ďalej a vehementne povzbudzovalo Československo k držaniu pevnej pozície.[85] Pokiaľ išlo o Nemecko, v Prahe mali vedomosti, že Berlín neschvaľuje maďarské požiadavky, presahujúce etnické hranice, ani plebiscit na Slovensku a Zakarpatskej Ukrajine a odmieta aj tvorenie spoločnej maďarsko-poľskej hranice.[86]

Na paralyzovanie maďarského tlaku bola zameraná aj cesta *F. Ďurčanského* a *A. Macha* do Nemecka. Došlo k nej z iniciatívy ľudáckeho vedenia. Táto návšteva sa niesla nielen v duchu protičeskoslovenskej štátnosti, ale bola v rozpore aj so žilinským vyhlásením. Pri stretnutí s *H. Göringom* v Karinhalle 12. októbra 1938 sa Ďurčanský usiloval získať podporu nacistov proti Maďarsku aj za cenu podriadenia Slovenska Nemecku. Ako sám uvádza, išlo mu o správne informovanie nacistických kruhov o politických cieľoch ľudákov, vyvolanie ich záujmu o Slovensko, čím by sa podarilo paralyzovať maďarský tlak a jeho územné nároky voči Slovensku. I keď Göring prejavil sympatie s myšlienkou slovenského separatizmu, konkrétne sa nevyslovil o nemeckej pomoci.[87] Ďurčanský však po návrate rozširoval správy, že „výsledok bol dosť priaznivý", na základe čoho československá delegácia v Komárne dospela k záveru, že z nemeckej strany netreba očakávať tlak v prospech Maďarska.[88]

---

[85] AFMZV, TO č. 1718–1723, Praha 11. 10. 1938; Tamže, TO č. 1712–1717, Praha 11. 10. 1938; Tamže, TD Budapešť 13. 10. 1938; Tamže, Kabinet vecný, krab. 46. Rokovanie s Maďarskom r. 1938. Rozhovor V. Čermák–R. Crutzescu, rumunský vyslanec; OL, Küm. pol. 1938–7/7–3265. Rozhovor G. Apor-G. Maugras, francúzsky vyslanec 12. 10. 1938 v Budapešti.

[86] AFMZV, Trezorové spisy II/1, 1938, bez č. Rozhovor V. Čermák–A. Hencke, nemecký chargé d'affaires 13. 10. 1938 v Prahe; Tamže, Pozostalosť dr. F. Chvalkovského (1938–1939). Rozhovory, č. 1243. Správa z Berlína 12. 10. 1938.

[87] ADAP, D, IV, s. 76, č. 68; SÚA-AA, č. 19.431, Bratislava 11. 10. 1938; DIMK, II., s. 802, č. 534; HOENSCH, J. K.: Der ungarische Revisionismus..., s. 136–137; ĎURČANSKÝ, F.: Mit Tiso bei Hitler. In: Politische Studien. Heft 80, Dezember 1956. München, s. 2.

[88] OL, Küm. res. pol. 1938–7/7–3265. Bratislava 14. 10. 1938; AFMZV, Právna sekcia, krab. 58, f. 11, č. 43.

Po návrate I. Krnu rokovanie 12. októbra pokračovalo. Kým experti horúčkovito spracúvali veľké množstvo údajov a argumentov, československá delegácia ponúkala Maďarsku rôzne varianty riešenia otázky hraníc. Vyslovila názor, že v záujme zabezpečenia trvalého mieru v tejto oblasti a budúcej hospodárskej stability Slovenska popri etnickom princípe musí sa brať do úvahy aj hospodársky a dopravný aspekt. Konkrétne československá strana podala návrh, aby sa otázka maďarskej menšiny riešila v rámci autonómie Slovenska, čo K. Kánya veľmi ostro odmietol a kvalifikoval ako zlý žart. Keďže maďarská delegácia aj ďalej trvala na územnom ústupku, československá strana ponúkla odstúpenie Žitného ostrova v rozlohe 1838 km^2 so 105 418 obyvateľmi. Odstúpenie sa netýkalo Bratislavy a jej blízkeho okolia. Komárno sa malo pretvoriť na slobodný prístav. Na ostatnom území, kde žilo obyvateľstvo maďarskej národnosti, československá delegácia navrhovala výmenu obyvateľstva, čím by sa dosiahlo zredukovanie menšín v oboch štátoch.[89] K vyvrcholeniu rokovania došlo nasledujúci deň 13. októbra.

Československá delegácia predložila svoj vypracovaný protinávrh. Vo všeobecnosti vychádzal z etnickej zásady, ale zároveň rešpektoval aj hospodárske, dopravné a strategické aspekty, a to v takej miere, aby sa udržalo železničné spojenie západ-východ a so Zakarpatskou Ukrajinou a zachránili mestá na južnom Slovensku a na východe Košice. Prevaha maďarského etnika sa mala určiť podľa posledného sčítania obyvateľstva z roku 1930. Najväčší dôraz sa v návrhu kládol na princíp reciprocity menšín, ktorý sa chápal v zmysle paritného vyváženia menšín v oboch štátoch. Podľa toho, koľko obyvateľov maďarskej národnosti by zostalo v republike, toľko Slovákov a Ukrajincov by Československo odstúpilo Maďarsku. Išlo celkovo o 11 % obyvateľstva

---

[89] AFMZV, Právna sekcia, krab. 64, f.11. Záznam z československo-maďarských rokovaní v Komárne 12. 10. 1938; Tamže, Právna sekcia, krab. 59, f. 3, bez č. Správa z Komárna 12. 10. 1938; DIMK, II., s. 759–763, č. 491.

Slovenska, kde žilo okolo 400 000 obyvateľov, z čoho na základe štatistiky z roku 1930 320 000 obyvateľov maďarskej národnosti a 44 000 Slovákov a Ukrajincov. Zvyšok tvorili Nemci a Židia.[90] Maďarská delegácia bez toho, aby hlbšie preštudovala československý protinávrh, vyhlásila ho za neprijateľný. Kvalifikovala ho za „umiernený Trianon" a obvinila československú delegáciu, že ignoruje „duch Mníchova". Vytýkala protinávrhu, že ponecháva v republike čisto maďarské územie a príliš berie ohľady na hospodárske, dopravné a strategické aspekty, ktoré Maďarsko jednoznačne odmieta. Napriek vyhláseniu československej delegácie, že „očakáva na svoj návrh maďarské pripomienky", Kánya rezolútne odmietol akúkoľvek debatu. Navrhol prerušiť do večera rokovanie, kým maďarská delegácia sformuluje svoje definitívne stanovisko.[91]

Hneď po prerušení rozhovorov Kánya s Telekim navštívili Budapešť a radili sa s vládou o ďalšom postupe. V atmosfére revizionistického ťaženia a očakávania blízkeho úspechu sa Imrédyho vláda rozhodla ukončiť rokovania. Večerné stretnutie oboch delegácií malo už iba formálny charakter. K. Kánya v mene maďarskej vlády vyhlásil, že pri rokovaní vznikla nepreklenuteľná priepasť, ktorú by ďalšie rozhovory už sotva preklenuli. Preto maďarská vláda pokladá rokovanie za ukončené a svoje územné nároky voči Československu bude uplatňovať priamo u signatárov mníchovskej dohody.[92]

---

[90] AFMZV, Právna sekcia, krab. 64, f.11. Záznam z československo-maďarských rokovaní v Komárne 13. 10. 1938; Tamže, Právna sekcia, krab. 58, f. 11. Správa z Komárna 13. 10. 1938; Tamže, Právna sekcia, krab. 59, f. 3. Legenda k československému maximálnemu návrhu; Tamže, Kroftov archív, krab. 4. Československý protinávrh z 13. 10. 1938; ŠÚA-SSR, SL, krab. 72. Maximálny návrh slovenských expertov.

[91] AFMZV, Právna sekcia, krab. 64, f.11. Záznam z československo-maďarských rokovaní v Komárne 13. 10. 1938; DIMK, II., s. 765–769, č. 492.

[92] AFMZV, Právna sekcia, krab. 64, f. 11. Záznam československo-maďarských rokovaní v Komárne 13. 10. 1938; OL, Minisztertanácsi jegyzőkönyvek 1938. Zasadnutie ministerskej rady 13. 10. 1938. ÚHV SAV, zbierka mikrofilmov, č. 51 RH; DIMK, II., s. 771, č. 493; HOENSCH, J. K.: Der ungarische Revisionismus..., s. 141.

Ako sa dalo očakávať, maďarská oficiálna politika spustila útok proti Československu a neúspech komárňanských rokovaní jednostranne pripisovala československej strane. Tvrdila, že Československo nepreviedlo demobilizáciu svojej armády, ale sústredilo ju vo východnej časti republiky, čím vyvíjalo nátlak na Maďarsko v smere ústupkov. Hlavná vina padla na hlavu Prahy, ktorá údajne „šikovne nastrčila" a „dirigovala" slovenskú delegáciu. Maďarská tlač vyjadrovala sklamanie nad postupom slovenských politikov a vytýkala im „zradu" slovenských záujmov, pretože nepochopili „historickú tradíciu" a „úzke hospodárske väzby" medzi Maďarskom a Slovenskom. Imrédy ešte v deň prerušenia rokovania zvolal v noci ministerskú radu, ktorá rozhodla o stiahnutí ďalších piatich ročníkov a všetku svoju pozornosť sústredil na získanie podpory Nemecka a Talianska.[93]

Československá vláda vyvracala maďarské argumenty a jednoznačne odmietla jej obvinenia. Zdôraznila, že nie je proti spravodlivej dohode s Maďarskom, ale nie za cenu jednostranných ústupkov. Vyjadrila ochotu znova obnoviť rokovanie, ale na základe vzájomných kompromisov.[94] Súčasne urobila kroky na zvýšenie svojej bezpečnosti a v pohraničných častiach pri maďarských hraniciach vyhlásila stanné právo. Maďarské rinčanie zbraňami československú vládu nevyviedlo z rovnováhy, pretože si bola vedomá vojenskej prevahy. *F. Chvalkovský* 16. októbra 1938 vyhlásil, že Československo sa neobáva žiadneho maďarského útoku.[95] Medzitým Praha odkázala do Budapešti, že „československá strana ani zďaleka nevyslovila svoje posledné slovo

---

[93] OL, Minisztertanácsi jegyzőkönyvek 1938. Zasadnutie ministerskej rady 13. 10. 1938. ÚHV SAV, zbierka mikrofilmov, č. 51 RH; ŠÚA-SSR, KÚ, krab. 274, č. 66.503 a č. 66.504. Správy rozhlasovej odpočúvacej služby 13. a 14. 10. 1938, Budapešť 1; Uj Magyarság 16. 10. 1938.

[94] AFMZV, Kabinet vecný, krab. 46. Rokovanie s Maďarskom r. 1938. Záznam I. Krnu 15. 10. 1938; Tamže, Právna sekcia, krab. 58, f. 11. č. 150.603. Správa pre vyslanectvá 14. 10. 1938.

[95] AFMZV, Kabinet vecný, krab. 46. Rokovanie s Maďarskom r. 1938. Záznam I. Krnu 15. 10. 1938; Tamže, Kabinet vecný, krab. 73. Správa ministerstva národnej obrany 14. 10. 1938; DIMK, II., s. 808, č. 541.

a je pripravená na ďalšie ústupky". V podobnom duchu vyznievali aj vyhlásenia Tisu a Ďurčanského viacerým zahraničným korešpondentom.[96] V maďarských kruhoch prevládol názor, že bratislavská vláda s uspokojením prijala rozbitie komárňanských rokovaní, pretože z hľadiska ľudákov bolo prijateľnejšie odstúpiť územie pod tlakom veľmocenského rozhodnutia než priamymi rozhovormi.[97]

3. Viedenská arbitráž – „Mníchov pre Slovensko"

Po krachu komárňanských rokovaní československo-maďarský spor o hranice nadobudol širšie medzinárodné dimenzie. Iniciatívu v celej otázke prevzali fašistické veľmoci, ktoré situáciu využívali na realizovanie vlastných expanzívnych zámerov v Podunajsku. Aj keď sa ich vplyv navonok prejavoval formou rád a sprostredkovania, v skutočnosti rozhodujúcou mierou zasahovali do rokovaní, určovali obidvom stranám podmienky a v konečnom dôsledku vykonali aj arbitrážny rozsudok.

Po rozchode v Komárne sa maďarská vláda obrátila o pomoc do Berlína a Ríma. Už 14. októbra odcestoval *I. Csáky* do Talianska a *K. Darányi* do Nemecka. Medzitým už *G. Szüllő*, jeden z vodcov maďarskej menšiny na Slovensku, informoval taliansku vládu o celkovom cieli maďarskej politiky. Szüllő nehovoril iba v mene maďarskej menšiny, ale o „historickom poslaní" maďarského štátu v Podunajsku a o význame jeho posilnenia pre veľmoci osi. „Maďarsko netvorí etnografickú rodinu a nemá iba etnografický cieľ... Ak získa len určitú časť z Československa, neposlúži to ani Európe, ani osi Berlín-Rím... Maďarsko nutne potre-

---

[96] DIMK, II., s. 808, č. 541, s. 812, č. 545; OL, K-428, krab. 1479. Vyhlásenie F. Ďurčanského pre agentúru Havas 14. 10. 1938; Ilustrowany Kurjer Codzienny 16. 10. 1938. Tisovo vyhlásenie.
[97] OL, Küm. res. pol. 1938–7a–1088, Rím 14. 10. 1938; DIMK, II., s. 790–791, č. 523.

buje strategickú bázu: Bratislavu, Košice, Užhorod", zdôrazňoval Szüllő.[98] Mussolini a Ciano nešetrili sľubmi na diplomatickom, politickom a vojenskom poli a pri vyvíjaní nátlaku na Prahu.[99]

Vzhľadom na to, že po Mníchove Imrédy a Kánya stratili dôveru u „führera", do Nemecka odcestoval bývalý maďarský premiér K. Darányi, ktorý Hitlerovi vyhlásil, že Maďarsko je odhodlané bojovať a „nestrpí chovanie Slovákov". Hitler vzápätí schladil jeho bojovú náladu a varoval Maďarsko, že ak rozpúta vojenský konflikt s Československom, nikto mu nepomôže. Odmietol myšlienku opätovného zvolania konferencie veľmocí, plebiscit na Slovensku i nárok Maďarska na Bratislavu. Hitler, hrajúc sa na „ochrancu" Slovákov, radil maďarskej vláde, aby sa vrátila k rokovaciemu stolu a pridržiavala sa etnickej zásady,[100] čo vyvolalo sklamanie maďarských politických kruhov. Maďarskej politike nezostala iná cesta ako taktický ústup. Darányi z Mníchova informoval vládu o výsledku rokovania s Hitlerom a z poverenia Imrédyho urobil určité korekcie v pôvodných územných nárokoch Maďarska. Potom spolu s Ribbentropom urobili na mape novú „kompromisnú" hraničnú čiaru, ktorá sa po jeho návrate domov stala predmetom sporu. Darányi tvrdil, že Ribbentrop „omylom" ponechal na mape Nitru aj s okolím, Užhorod a Mukačevo v Československu, čo Ribbentrop popieral. Podľa Darányiho nová korektúra hraničnej čiary sa týkala iba ústupkov v okolí Nitry, a to v tom zmysle, že maďarská vláda tam navrhovala plebiscit.[101]

[98] OSZK, Kézirattár, Fond X/26. Szüllő G. hagyatéka, č. 72. Szüllővova správa o rokovaní v Ríme 13. 10. 1938.

[99] OSZK, Kézirattár, Fond X/26. Szüllő G. hagyatéka. Správa Szüllőa o rozhovore s G. Cianom v Ríme 13. 10. 1938; DIMK, II., s. 796–798, č. 529 a 530, s. 799–800, č. 533.

[100] ADAP, D, IV. s. 68–71, č. 62; LUKEŠ.: c. d., s. 124–125.

[101] SÚA-AA, č. 209.960–2. List K. Darányiho J. Ribbentropovi 23. 10. 1938; Tamže, AA, č. 209.959. Odkaz J. Ribbentropa pre K. Darányiho 25. 10. 1938;

Maďarsko hlboko rozčarované nemeckým postojom vsadilo všetko na taliansku kartu. V Budapešti zastávali názor, že jedine pomocou nátlaku Ríma na Prahu a jeho spoluprácou s Berlínom sa podarí vniesť obrat do nemeckého postoja. Kvôli Nemecku síce maďarská vláda obnovila rokovanie, avšak nie s predchádzajúcou delegáciou, ale s ústrednou československou vládou. Imrédyho vláda predpokladala, že pod nemeckým a talianskym tlakom Chvalkovský bude ústupčivejší. Ďalší vývin rokovania s Československom si predstavovala tak, že pod vplyvom veľmocí osi Praha vypracuje nový prijateľnejší protinávrh, ktorý v Budapešti buď prijmú alebo odmietnu, pričom vzájomný kontakt bude prebiehať iba diplomatickým kanálom. V prípade, že nový československý protinávrh maďarská vláda odmietne, požiada veľmoci osi o arbitrážne rozhodnutie.[102]

V čase, keď Darányi bol v Nemecku, aj Chvalkovský prišiel do Mníchova rokovať s nacistickými vodcami. Hitler, vedomý si úlohy arbitra v československo-maďarskom spore, rozohral rafinovanú politickú hru. Vytýkal Prahe neústupnosť voči Maďarsku a zvaľoval na ňu hlavnú vinu za rozbitie rokovaní. Žiadal Chvalkovského, aby ústredná vláda mala v zahraničných otázkach posledné slovo. Takto chcel vraziť klin a stupňovať nezhody medzi ústrednou vládou a ľudáckym vedením, ktoré by zo straty slovenského teritória neobviňovalo nacistov, ale český nezáujem brániť slovenské hranice. Hitler žiadal, aby československá vláda obnovila rokovanie a vyšla v ústrety maďarským požiadavkám. Chvalkovský dostal v Nemecku aj mapu s novou hraničnou čiarou, na ktorej sa dohodol Ribbentrop s Darányim. V prípade, že si ju Československo osvojí, Nemecko prisľúbilo garancie nových hraníc, čo na Chvalkovského kladne zapôsobilo a vyhlásil, že doma bude „Ribbentropovu líniu" presadzovať.[103]

DIMK, II., s. 833–834, č. 569, s. 837, č. 573, s. 838, č. 574; ÁDÁM, M.: Magyarország és a kisantant..., s. 314.

[102] OL, Küm. res. pol. 1939–7a–1095. Správa do Prahy 16. 10. 1938; AFMZV, TD č. 1197, Budapešť 21. 10. 1938; DIMK, II., s. 809, č. 542.

[103] AFMZV, Kabinet ministra, č. 3452/1938. Záznam F. Chvalkovského o rozho-

F. Chvalkovský po návrate z Nemecka v čiernych farbách líčil možnosti obrany územia Slovenska, najmä sa skepticky vyjadroval o záchrane Košíc. Odporúčal prijať „Ribbentropovu líniu". Proti takémuto riešeniu sa postavila ľudácka vláda a bola ochotná ho prijať iba ako bázu ďalšieho rokovania s Maďarskom.[104] Ľudáci verili, že sa im ešte podarí skorigovať hranicu, na ktorej sa dohodlo Nemecko s Maďarskom. Preto bratislavská vláda rozhodla, aby Tiso a Ďurčanský hneď odcestovali rokovať do Nemecka, Sidor do Poľska a Mach do Talianska. Keďže Machova cesta sa skončila fiaskom a Sidorove rozhovory vo Varšave nepriniesli očakávaný výsledok, ľudácka politika sústredila svoju hlavnú pozornosť na ovplyvnenie nemeckého stanoviska.

Tisovu a Ďurčanského cestu do Nemecka diplomaticky pripravil Chvalkovský a odporučil ju Berlínu. V dôkazovom materiáli hlavná argumentácia smerovala k spochybneniu štatistík z roku 1910, pričom osobitná pozornosť sa venovala vývinu nemeckej menšiny v Uhorsku a v republike, ktorou sa mala dokázať nespoľahlivosť starých uhorských štatistík. Ďalej sa kládol dôraz na národnostný vývin miest na Slovensku od polovice 19. storočia a na evolúciu židovskej národnosti.[105] Keďže podľa navrhovanej hraničnej čiary Bratislava a Nitra sa zdali byť zachránené, veľká dôležitosť sa pripisovala udržaniu Košíc. Slovenskí experti argumentovali, že nároky Maďarska na Košice nie sú diktované ani etnickými, ani historicko-prestížnymi dôvodmi, ale výlučne zahraničnopolitickými a mocenskými faktormi. Maďarská politika

---

voroch v Nemecku 13.–14. 10. 1938; ADAP, D, II., s. 65–68, č. 61; HOENSCH, J. K.: Der ungarische Revisionismus..., s. 143–144; LUKEŠ, F.: c. d., s. 126.

[104] AFMZV, Kabinet vecný, krab. 46. Rokovanie s Maďarskom r. 1938. Rozhovor I. Krno–A. Hencke 18. 10. 1938 v Prahe; FEIERABEND, L.: c. d., s. 54.

[105] AFMZV, Právna sekcia, krab. 64, č. 55 a 93. Expertíza o národnostnom vývoji miest na Slovensku a vývoji židovskej národnosti; ŠÚA-SSR, SL, krab. 72, bez č. Zoznam podkladového materiálu pre rokovanie J. Tisu v Nemecku z 18. 10. 1938; SÚA-AA, č. 18. 324–25. Správa A. Henckeho do Berlína 17. 10. 1938.

práve odtrhnutím Košíc chcela zasadiť najsilnejší úder územnej celistvosti Slovenska. Pripojenie metropoly východného Slovenska k Maďarsku by znamenalo nielen stratu najväčšieho obchodného, komunikačného a kultúrneho centra na východe, ale aj prerušenie spojenia západ-východ a jedinej spojovacej železnice so Zakarpatskou Ukrajinou, a tým aj kontaktu so spojeneckým Rumunskom.[106] Išlo teda o úplnú izoláciu východu od ostatnej časti Slovenska, ktorá mala v ďalšej etape vyústiť do odtrhnutia celého východného Slovenska a pohltenia Maďarskom. Slovenskí zástupcovia mali v Nemecku argumentovať tým, že maďarské nároky na Košice sa priečia etnickému princípu, v mene ktorého sa majú korigovať hranice medzi Československom a Maďarskom. Okolie Košíc je čisto slovenské, zatiaľ čo samo mesto bolo násilne pomaďarčené až koncom 19. storočia a jeho maďarská prevaha sa dosiahla iba zásluhou veľmi nehodnoverných a tendenčných štatistík.[107]

Tiso a Ďurčanský sa 19. októbra 1938 v Mníchove stretli s Ribbentropom, ktorý bol spočiatku neoblomný a ustúpil až vtedy, keď ľudácki politici opäť vytiahli tromf slovenského separatizmu a argumentáciu, že ľudácka vláda nenesie zodpovednosť za minulú politiku Prahy. Na druhom stretnutí bol ríšsky minister povoľnejší. Tiso v liste I. Krnovi napísal z Mníchova, že „veci sa majú dobre; hlavné body zachránené, celá čiara musí byť podrobená detailnému preskúmaniu... Materiál sme odovzdali, všetko sme obšírne vysvetlili a stretli sme sa s veľkým porozumením". Minister *I. Bačinský*, ktorý tiež bol v Mníchove, vypovedal, že slovenským ministrom sa podarilo Ribbentropa presvedčiť o správnosti zásady, podľa ktorej treba ponechať asi toľko Maďarov u nás, ako zostane Slovákov a Ukrajincov v Maďarsku. Odišli z

---

[106] ŠÚA-SSR, SL, krab. 72, bez č. Expertíza o význame Košíc pre Slovensko a Zakarpatskú Ukrajinu.

[107] ŠÚA-SSR, SL, krab. 72, bez č. Expertíza o národnostnom zložení Košíc a okolia.

8*

Mníchova s dojmom, že sa im podarilo zachrániť Košice, hoci ešte boj o toto mesto bude pokračovať.[108] Už 22. októbra priniesol Slovák upokojujúci článok s nadpisom: „Košice nikdy neboli maďarské" a Tiso veril, že záležitosť okolo metropoly východného Slovenska je uzavretá a Košice zachránené.

Rokovanie v Nemecku urýchlilo odovzdanie nového československého protinávrhu Maďarsku. Tým došlo k paradoxnej situácii. Československá vláda 22. októbra 1938 oficiálne prezentovala v Budapešti svoj nový protinávrh, ktorý až na malé korekcie, urobené za pobytu slovenských ministrov v Nemecku, v skutočnosti pripravil Berlín. Podľa tohto návrhu slovenské územie sa malo zmenšiť o 9606 km² a okrem Bratislavy, Nitry a Košíc sa malo vzdať všetkých južných miest. Podľa štatistiky z roku 1930 išlo o 728 435 obyvateľov, z ktorých 494 626 bolo maďarskej a 168 632 slovenskej národnosti.[109]

Len čo sa maďarská vláda dozvedela, že v dohodnutej hraničnej čiare Darányiho s Ribbentropom nastali zmeny a skôr než československá vláda oficiálne odovzdala svoj nový protinávrh do Budapešti, intervenovala v Berlíne a Ríme, dokazujúc, že nový protinávrh je neprijateľný pre Maďarsko a nemôže poslúžiť ani ako základ na ďalšie rokovanie. K. Kánya sa netajil názorom, že ani obnovenie rokovania s Prahou diplomatickou cestou nepovedie k žiadúcemu výsledku a len čo sa definitívne vyjasní otázka arbitráže, maďarská vláda sa vzdá ďalších rozhovorov.[110]

Na československý protinávrh maďarská vláda odpovedala nótou z 24. októbra, v ktorej žiadala: 1. aby územie, ktoré v československom návrhu nefiguruje ako sporné, bolo v priebehu

[108] AFMZV, Právna sekcia, krab. 59, f. 3, bez č. Tisov list pre I. Krnu z Mníchova 19. 10. 1938; Tamže, Právna sekcia, krab. 58, f. 79. Rozhovor I. Krno–I. Bačinský, ADAP, D, IV, s. 79–83, č. 72; LUKEŠ, F.: c. d., s. 127.
[109] ŠÚA-SSR, SL, krab. 72, bez č. Komentár k československému návrhu z 22. 10. 1938 a pripomienky slovenských expertov.
[110] OL, Küm. res. pol. 1939–7a–1163. Informácie do Prahy 21. 10. 1938; Tamže, Küm. res. pol. 1938–7a–1188, Budapešť 22. 10. 1938; SÚA-AA, č. 210.005–6, Rím 22. 10. 1938; DIMK, II., s. 829, č. 563, s. 832, č. 566, s. 839, č. 574.

niekoľkých dní obsadené maďarskou armádou; 2. aby sa na spornom teritóriu, ktoré leží medzi hraničnou čiarou určenou československou nótou a pôvodným maďarským návrhom, realizoval plebiscit v ôsmich oddelených oblastiach do 30. novembra 1938 za medzinárodnej kontroly bez prítomnosti československej administratívy a armády. Právo zúčastniť sa plebiscitu by mali iba osoby, ktoré tam bývali do 20. októbra 1918 a ktoré sa tam narodili alebo ich potomkovia; 3. o Bratislave maďarská vláda chce osobitne rokovať; 4. maďarská vláda sa opätovne dožadovala poskytnutia sebaurčovacieho práva pre ostatné národnosti žijúce na Slovensku a na Zakarpatskej Ukrajine. Ak československá vláda tento návrh odmietne, Maďarsko navrhuje, aby o otázke hraníc rozhodla arbitráž, a to v západnej časti Nemecko a Taliansko, vo východnej časti republiky aj s prihliadnutím Poľska.[111]

Nebolo pochýb, že maďarská politika týmto návrhom chcela rýchlo preniknúť do československého vnútrozemia, obsadiť pohraničné pevnosti a urobiť južnú hranicu nielen zreteľnejšou, ale zároveň utvoriť si priaznivé podmienky na ďalšiu okupáciu Slovenska. Navyše takýmto spôsobom chcela vylúčiť možnosť, aby si Československo mohlo nárokovať na územnú kompenzáciu na inom mieste. Československá ústredná vláda po porade s autonómnymi vládami odpovedala do Budapešti nótou z 26. októbra 1938, v ktorej odmietla maďarskú požiadavku plebiscitu tak na spornom, ako aj nespornom území. V otázke arbitráže veľmocí osi sa Československo nestavalo proti, pričom účasť ďalších štátov ponechalo na rozhodnutie Berlínu a Rímu. Praha si však dala podmienku, že ak bude medzi arbitrami figurovať Poľsko, potom Československo žiada o účasť Rumunska.[112]

[111] AFMZV, Právna sekcia, krab. 64, f.11, č. 106. Obsah maďarskej nóty z 24. 10. 1938; DIMK, II., s. 847–849, č. 580.
[112] AFMZV, TO č. 1853–1859, Praha 25. 10. 1938; Tamže, Trezorové spisy II/1, 1938, č. 151.323. Pro domo o československej nóte pre Maďarsko 26. 10. 1938; DIMK, II., s. 853–854, č. 585.

Maďarská vláda nebola spokojná s československou odpoveďou a hneď nasledujúci deň 27. októbra vyjadrila svoje sklamanie. Zopakovala svoju požiadavku, aby sa arbitrážne konanie obmedzilo iba na sporné územie, čo Praha 28. októbra 1938 striktne odmietla a trvala na tom, aby sa arbitráž týkala celého územia, kde bývala maďarská menšina. Rovnako navrhovala, aby sa obidve vlády obrátili so žiadosťou na Nemecko a Taliansko vo veci vykonania arbitrážneho rozsudku.[113]

Československo sa pre nemecko-taliansku arbitráž rozhodlo z viacerých dôvodov. Predovšetkým preto, že Francúzsko a Veľká Británia prejavili svoj dezinteres o československo-maďarský hraničný spor[114] a navyše československá pravica nechcela vzbudiť ani zdanie nedôvery voči Berlínu a Rímu. Pokiaľ išlo o ľudácke vedenie, tiež sa kladne postavilo k myšlienke nemecko-talianskej arbitráže. J. Tiso 25. októbra 1938 v liste Ribbentropovi vyjadril uspokojenie s Nemeckom ako arbitrom a položil osud budúcich hraníc do rúk Berlína.[115] Sľuby nacistov uspali ľudáckych vodcov, ktorí po stretnutí s Ribbentropom nepodnikali nič na eliminovanie maďarského nebezpečenstva, hoci ešte nebolo neskoro. Ľudáci boli presvedčení, že rastúce priateľstvo medzi Bratislavou a Berlínom, posilňovanie kurzu na separatizmus a fašizujúca ideológia ľudáckej vlády sú dostatočnou zárukou, že Nemecko bude brániť Slovensko pred prehnanými maďarskými požiadavkami. Preto sebavedome vyhlasovali, že netreba sa ničoho obávať, lebo Nemecko je dobre informované o situácii, čo nezodpovedalo skutočnej situácii.

Medzitým maďarská vláda vyvíjala v Ríme nebývalú aktivitu. Všemožne presvedčovala Mussoliniho a Ciana, že silný nemec-

---

[113] OL, Küm. res. pol. 1938–7a–1280, Praha 29. 10. 1938; AFMZV, Právna sekcia, krab. 59, f.3, bez č. Porada na ministerstve zahraničných vecí 28. 10. 1938; Tamže, Právna sekcia, krab. 59, č. 152.470. Maďarská odpoveď na československú nótu z 26. 10. 1938; DIMK, II., s. 860, č. 593, s. 868–869, č. 602.
[114] AFMZV, TO č. 1923. Informácia do Paríža 22. 10. 1938; DIMK, II., s. 864, č. 597; FEIERABEND, L.: c. d., s. 57.
[115] SÚA-AA, č. 209.963. Tisov list pre Ribbentropa.

ký vplyv v strednej Európe, ktorý sa uplatňuje pomocou Československa, môže Taliansko eliminovať posilnením Maďarska. Maďarské argumenty padli na úrodnú pôdu. Na rozdiel od Berlína, Rím hneď 22. októbra 1938 prijal maďarský návrh na zvolanie arbitráže a prisľúbil, že bude pred Nemeckom obhajovať maďarské záujmy.[116] G. Ciano hneď po odovzdaní československého protinávrhu Budapešti nadviazal kontakt s Ribbentropom, ktorý spočiatku neprejavoval veľké pochopenie pre maďarské záujmy. Zlom nastal vtedy, keď Ribbentrop z Hitlerovho poverenia pricestoval 27. októbra do Ríma, aby osobne získal „duceho" pre vojenský pakt s Nemeckom. Talianska politika využila jeho pobyt na to, aby získala ústupky pre Maďarsko. Keď Ciano vyzdvihol význam arbitráže z hľadiska budúcej pozície veľmocí osi medzi štátmi strednej a juhovýchodnej Európy, nacistický politik si osvojil jeho myšlienku a vyhlásil, že o prospešnosti arbitráže presvedčí aj Hitlera. Účasť Poľska ako ďalšieho účastníka však Ribbentrop odmietol. Tým sa automaticky stala neaktuálnou aj účasť Rumunska, ktorú presadzovalo Československo. Taliansku sa tak isto podarilo rozptýliť nemecké výhrady, ktoré malo pre prípad, že by slovenská vláda odmietla prijať arbitrážny rozsudok. Podľa Ciana takémuto vývinu sa dá predísť tým, že obidve zainteresované strany by sa vopred zaviazali akceptovať závery arbitrážneho rozhodnutia, čo sa aj stalo.[117]

Potom prišli na pretras konkrétne maďarské požiadavky. Ciano prišiel s iniciatívou, aby sa už v Ríme dospelo k zásadnej dohode, ktorá by poslúžila ako báza na vlastné arbitrážne konanie. To dalo podnet k vzájomnému licitovaniu jednotlivých miest na Slovensku a jeho častí, pri čom viac vynikol Ciano a postupne „spracoval" Ribbentropa. Na rozdiel od svojho nemeckého kole-

[116] OL, Küm. res. pol. 1938–7a–1188. Informácie do Prahy 22. 10. 1938; OSZK, Kézirattár, Fond X/26, Szüllő hagyatéka. Správa Szüllőa o rozhovore s G. Cianom v Ríme 13. 10. 1938; DIMK, II., s. 832, č. 566.
[117] ADAP, D, IV., s. 455, č. 400; DIMK, II., s. 852–853, č. 584, s. 854–855, č. 586, s. 865–866, č. 598; TAJNI ARHIVI GROFA CIANA, Záhreb 1952, s. 251–255.

gu bol prostredníctvom osobitných maďarských expertov veľmi dobre informovaný o územných, hospodárskych a národnostných pomeroch na spornom území. To mu umožnilo lepšie obhajovať maďarské nároky a prinútiť neznalého spolupartnera k ústupu. Ribbentrop napokon podľahol a za podmienky, že Maďarsko sa vzdá nárokov na ostatné Slovensko a Zakarpatskú Ukrajinu súhlasil s ďašími korektúrami v prospech Maďarska.[118] Ribbentrop urobil tento ústupok napriek tomu, že pár dní pred jeho odchodom do Ríma nemecký konzul v Bratislave upozorňoval Berlín, že ak Nemecko má záujem na životaschopnom Slovensku, nesmie cúvnuť už od dohodnutej hraničnej čiary. Podobne i nacistický experti varovali, že v takomto prípade Slovensko stratí strategické spojenie západ-východ a nebude schopné odolávať maďarskému tlaku.[119] Ribbentrop mal však vyšší cieľ – spoločne ukutý „oceľový" pakt s Talianskom, pri ktorom osud slovenských hraníc bol iba bezvýznamnou hračkou.

Tým bola cesta k arbitráži otvorená. Československá i maďarská vláda 29. októbra 1938 oficiálne požiadali Nemecko a Taliansko o vykonanie arbitrážneho rozsudku a vyhlásili, že sa mu vopred podrobujú, na čo 30. októbra z Berlína a Ríma odpovedali, že preberajú úlohu arbitrov a arbitrážne konanie sa uskutoční vo Viedni 2. novembra 1938.[120] Tým československé vládne kruhy druhýkrát vyriekli ortiel nad republikou a podriadili sa medzinárodnému násiliu a diktátu. Tentoraz nacistické Nemecko a fašistické Taliansko pripravili pre Slovensko druhé kolo mníchovskej dohody.

Arbitrážne konanie prebiehalo v prepychovom paláci Belvedere za účasti oficiálnej československej a maďarskej delegácie.

---

[118] DIMK, II., s. 865–866, č. 598, s. 871, č. 606, s. 872–873, č. 607, s. 879, č. 615, s. 880, č. 617.

[119] HOENSCH, J. K.: Der ungarische Revisionismus..., s. 170.

[120] AFMZV, Právna sekcia, krab. 59, č. 153.095 a č. 153.097. Odpovede nemeckej a talianskej vlády vo veci arbitráže 30. 10. 1938; DIMK, II., s. 871, č. 606, s. 875, č. 610, s. 879–880, č. 616, s. 880, č. 617.

Maďarskú vládu zastupoval K. Kánya a P. Teleki, československú stranu F. Chvalkovský a I. Krno. Úlohu arbitrov vykonávali J. Ribbentrop za Nemecko a G. Ciano za Taliansko. Do Viedne prišli aj mnohí experti obidvoch zainteresovaných strán a z Československa aj predsedovia obidvoch autonómnych vlád, ktorí však meritórne nezasiahli do rokovania. Aj keď tesne pred začatím arbitráže nemecká a talianska tlač už hovorili jasnou rečou, že vo Viedne pôjde o „nápravu krívd Tianonu" a Maďarsko musí späť získať, čo pred dvadsiatimi rokmi „neprávom" stratilo, výsledok predstihol všetky očakávania. Do ľudáckych kruhov už deň pred začatím arbitráže prenikli správy, že Slovensko postihne väčšia územná strata než sa predpokladalo a ďaleko presahuje „Ribbentropovu líniu", ktorú Nemecko sľúbilo ubrániť. Tiso si až vtedy uvedomil, že nacisti obetovali Slovensko v mocenskej hre a podriadili ho svojim imperialistickým záujmom. Údajne len po dôraznom upozornení Chvalkovského sa Tiso rozhodol ísť do „Canossy".[121]

Celkový priebeh rokovania mal iba formálny charakter. Išlo len o to, koľko územia arbitri prisúdia Maďarsku. Zo strany priamo zainteresovaných vlád sa neočakávali žiadne komplikácie, pretože sa vopred zaviazali bezvýhradne sa podriadiť arbitrážnemu rozsudku. Arbitri najprv nechali prehovoriť československú a maďarskú delegáciu, ktoré iba zopakovali svoje odlišné stanoviská a každá strana obhajovala svoje argumenty. Tým, že arbitri odmietli požiadavku československej delegácie, aby veľmoci konzultovali aj priamo so zainteresovanými predsedami autonómnych vlád Tisom a Vološinom, ktorí na to netrpezlivo čakali v susednej miestnosti, padla aj posledná možnosť ovplyvniť nepriaznivú situáciu pre Československo.[122]

Po tejto všeobecnej časti sa arbitri vzdialili do osobitnej miestnosti, kde robili posledné zásahy do hraničnej čiary. To, čo Ciano „nedotiahol" v Ríme, podarilo sa mu vo Viedni. Opäť vynikol

[121] HOENSCH, J. K.: Der ungarische Revisionismus..., s. 181.
[122] AFMZV, Právna sekcia, krab. 68, f. 4, č. 183.626. Záznam z viedenskej arbitráže 2. 11. 1938; MD, I., s. 280–281, č. 140; A Wilhelmstrasse... s. 312–317, č. 154.

pred neznalým Ribbentropom a ako povedal K. Kánya „držal sa fenomenálne", pretože posunul maďarskú hranicu hlboko do slovenského etnika. Slovensko stratilo železničné spojenie so Zakarpatskou Ukrajinou a bolo oslabené do takej miery, že Maďarsko očakávalo, že slovenská autonómna vláda skoro požiada o pripojenie k maďarskému štátu. Večer pri vyhlasovaní arbitrážneho rozsudku československá delegácia bola priam šokovaná pri pohľade na mapu. Tiso pod vplyvom obáv doma sa spočiatku zdráhal podpísať arbitrážny protokol a len po naliehaní Chvalkovského a Ribbentropa ustúpil.[123] Slovenská delegácia hlboko otrasená výsledkom arbitráže sa rýchlo vytratila z Viedne a poponáhľala sa domov, aby našla argumenty ako pred verejnosťou obhájiť svoj postup a zdôvodniť veľkú stratu slovenského teritória, za ktorého obhajcu sa vydávala.

Z československého aspektu viedenský protokol obsahoval významnú pasáž, v ktorej sa hovorilo, že obidve zainteresované vlády „prijímajú rozhodčí výrok za konečnú úpravu" hraníc.[124] Na základe toho sa československá vláda potom neustále odvolávala na to, že Maďarsko vo Viedni uznalo československo-maďarské hranice za definitívne, a tým sa zrieklo ďalších revizionistických nárokov voči republike. Okrem toho československá politika pokladala určenie novej hranice s Maďarskom aj za významný príspevok pre získanie garancie hraníc od veľmocí. Ako sa však ukázalo, tieto predpoklady sa nesplnili a veľká obeť, ktorú Československo donieslo prijatím viedenského rozhodnutia, nebola vyvážená v žiadnom inom smere. Otázka garancie hraníc aj ďalej ostala iluzórnou a maďarská vláda svoj podpis vo Viedni pokladala len za dočasný ústupok, ktorý jej nebude brániť pokračovať v postupnom pohlcovaní východnej časti republiky.

---

[123] OL, Minisztertanácsi jegyzőkönyvek 1938. Zasadnutie ministerskej rady 3. 11. 1938. ÚHV SAV, zbierka mikrofilmov, č. 51 RH; HOENSCH, J. K.: Der ungarische Revisionismus..., s. 184–185; SCHMIDT, P.: Štatista na diplomatickej scéne. Bratislava 1969, s. 344–345.

[124] MD, I., s. 380–381, č. 140.

Odhliadnuc od hospodárskych, komunikačných, politicko-správnych a národohospodárskych dôsledkov, ktoré spôsobila viedenská arbitráž, najväčšia krivda sa pociťovala v strate značného slovenského teritória. Nešlo len o zmiešané územie, ale aj o súvislé oblasti, kde slovenský živel vždy mal prevahu. Celkovo Slovensko muselo odstúpiť Maďarsku 10 390 km^2 s vyše 850 000 obyvateľmi, z ktorých podľa sčítania obyvateľstva z roku 1930 tvorilo 503 980 maďarskej a 272 145 slovenskej a českej národnosti. Z počtu 779 dedín 170 malo slovenskú väčšinu.[125] Hoci arbitri mali plno slov o určení „spravodlivých" a „etnických" hraníc, zásada vzájomného vyváženia menšín, ktorú československá strana presadzovala, bola ešte viac narušená.

Najhrubšie narušenie etnického princípu sa pociťovalo v troch oblastiach: v okolí Nových Zámkov, Vrábľov a Hurbanova, kde Slovensko stratilo 62 slovenských obcí so 76 000 obyvateľmi. Pri Jelšave bolo pripojených k Maďarsku kompaktné územie so 4000 obyvateľmi slovenskej národnosti, o ktoré Maďarsko bojovalo nie pre dodržanie etnického princípu a získanie Jelšavy, ale pre obrovské ložisko magnezitovej rudy. Najmarkantnejšia nespravodlivosť sa prejavovala pri určovaní novej hraničnej čiary v okolí Košíc. Podľa nespoľahlivých štatistík z roku 1910 sa v samých Košiciach síce podarilo vykázať maďarskú väčšinu, ale mesto stálo osihotené v slovenskom okolí a nemalo priamy kontakt so súvislým maďarským etnikom. Keďže maďarská vláda v poslednej chvíli presadila nárok na Košice, arbitri nenašli iné východisko ako prisúdiť s Košicami aj slovenské okolie. Zo 79 obcí v okolí, ktoré padli za obeť, len v ôsmich bývalo maďarské obyvateľstvo, čo znamenalo, že so 17 000 Maďarmi Slovensko stratilo i 85 000 Slovákov, nepočítajúc do toho ich počet v samom meste Košice.[126]

---

[125] AFMZV, Kabinet vecný, krab. 46. Rokovanie s Maďarskom r. 1938. Hodnotenie ministerstva zahraničných vecí nových československo-maďarských hraníc 14. 11. 1938, č. 20.
[126] ŠÚA-SSR, SL, krab. 72. Expertíza A. Granatiera o nových slovensko-maďarských hraniciach.

Ľudácke vedenie sa rozhodnutím viedenskej arbitráže ocitlo vo veľmi nepriaznivej situácii. Udržanie celistvosti Slovenska, o ktoré sa ľudáci tak usilovali, sa nepodarilo ubrániť. Bol to prvý výrazný neúspech ľudáckej autonómie, ktorý vyvolal skepsu a rozplynutie optimistických vyhlásení o priateľstve s Nemeckom. Ukázalo sa, že servilnosť ľudáckej politiky voči nacistom a jednoznačný pronemecký kurz nemali žiaden zmysel. Slovák 4. novembra 1938 musel priznať, že obidve veľmoci zaobchádzali so Slovenskom podobne ako v Mníchove s Čechmi. Tiso sa vo svojom rozhlasovom prejave hneď po návrate z Viedne celú vinu za stratu slovenského územia usiloval zvaliť na minulú politiku. „Zodpovednosť za to padá predovšetkým na tých politikov, ktorí za posledných dvadsať rokov rozhodli bez našej účasti a vôle o našom osude. Tak sme sa stali obeťou nespravodlivosti", povedal Tiso. Viedenský verdikt pasívne prijal slovami: „Veľmoci rozhodli, nič sa nedá rozbiť, iba skloniť hlavu a pracovať". Postup ľudáckej vlády obhajoval tvrdením, že zachraňovala len to, čo sa ešte zachrániť dalo, pričom na jej obhajobu nemohol viac uviesť než záchranu Nitry. Pre upokojenie verejnosti vyhlásil, že napriek veľkej územnej strate, Slovensko získalo od veľmocí garancie svojich hraníc a tým netrpezlivo očakávanú istotu,[127] čo ani zďaleka nezodpovedalo skutočnému stavu.

Ani Maďarsko arbitráž neuspokojila. Aj keď oficiálna politika vyhlasovala, že maďarské požiadavky boli splnené na 92 % a „ani iná vláda by nedosiahla priaznivejší výsledok",[128] nepociťovalo sa celkovo uspokojenie. Verejná mienka, ktorá bola pripravovaná na maximálny revizionistický program, vytýkala vláde, že nedosiahla pripojenie Bratislavy a Nitry a nepresadila ani tézu o uplatnení sebaurčovacieho práva pre ostatné národnosti na Slo-

---

[127] Slovák 4. 11. 1938.
[128] OL, Minisztertanácsi jegyzőkönyvek 1938. Zasadnutie ministerskej rady 3. 11. 1938. ÚHV SAV, zbierka mikrofilmov, č. 51 RH.

vensku a na Zakarpatskej Ukrajine. Vo všeobecnosti v Maďarsku prevládal názor, že viedenské rozhodnutie treba pokladať len za dočasné riešenie, ktoré vytvorilo priaznivejšie podmienky na skoré pohltenie celého Slovenska a Zakarpatskej Ukrajiny.[129]

Pri hodnotení viedenskej arbitráže treba povedať, že jej rozhodnutie bolo protiprávne a z medzinárodného hľadiska neplatné. Viedenský verdikt tvoril súčasť mníchovskej dohody. Nielen že sa plne niesol v jej duchu, ale sa na ňu priamo odvolával. Navyše nacistické Nemecko a fašistické Taliansko vylúčením ďalších dvoch signatárov mníchovskej dohody porušili aj závery z Mníchova a tak isto Hitler aj nemecko-britskú dohodu z 30. septembra 1938, ktorá ukladala záväzok konzultácie. Pretože viedenská arbitráž bola aktom hrubého násilia, ktorý stál v ostrom rozpore so základnými normami medzinárodného práva a československá vláda ho prijala pod nátlakom, jej rozhodnutie sa právne pokladalo neskôr za nulitné a teda z medzinárodnoprávneho aspektu akoby neexistovalo. Z toho dôvodu po druhej svetovej vojne mierová konferencia v Paríži nezrušila viedenskú arbitráž, ale ju pokladala za priamy dôsledok Mníchova a viedenský výrok z 2. novembra 1938 vyhlásila za nulitný. Táto formulácia bola zakotvená aj v prvom článku mierovej zmluvy s Maďarskom z 10. februára 1947, na základe ktorej boli obnovené hranice medzi Československom a Maďarskom podľa stavu k 1. januáru 1938.[130]

[129] A Wilhelmstrasse..., s. 321–323, č. 159; ÁDÁM, M.: Magyarország és a kisantant..., s. 324.
[130] CÚTH, J.: Viedenská arbitráž z r. 1938 vo svetle medzinárodného práva. In: Právny obzor, Bratislava 1958/10, s. 595–596.

IV. MEDZI VIEDENSKOU ARBITRÁŽOU A 14. MARCOM 1939

1. Nové napätie v československo-maďarských vzťahoch

Viedenské rozhodnutie ani zďaleka nevnieslo upokojenie do československo-maďarských vzťahov, nevyriešilo sporné problémy a obidve vlády mali výhrady k určeniu nových hraníc. Československá politika prijala arbitráž fašistických veľmocí ako akt, ktorý v danej medzinárodnej konštelácii nemohla odmietnuť. Zmierila sa s drastickým viedenským verdiktom v nádeji, že prispeje k získaniu garancií hraníc od veľmocí a vo vzťahu k Maďarsku položí definitívnu bodku za maďarskou revíziou, ktorá tým vlastne stratí svoj raison d'être. Rovnako v Prahe dúfali, že za cenu veľkých územných ústupkov sa predsa podarí zachrániť budúcnosť druhej republiky, ktorú na východe ohrozovali expanzívne plány Maďarska a Poľska. F. Chvalkovský pred *A. Henckem,* nemeckým chargé d'affaires, 5. novembra 1938 povedal, že „i keď na jednej strane si arbitráž vyžiadala od Slovákov a najmä Karpatských Ukrajincov ťažké ústupky, na druhej strane v podstate vyriešila hraničné otázky".[1] Hoci Praha rozhodnutie viedenskej arbitráže pokladala za krajne nespravodlivé, najmä v riešení národnostnej otázky, nehodlala proti nemu nič podnikať.[2] Česko-

---

[1] SÚA-AA, č. 76. 127–29, Praha 5. 11. 1938.
[2] AFMZV, Kabinet vecný, krab. 46. Rokovanie s Maďarskom r. 1938. Hodnote-

slovenská politika položila hlavný dôraz na to, že obeť, ktorú priniesla má zmysel iba vtedy, ak republike poskytne bezpečnosť hraníc, pokoj a spoluprácu so susednými štátmi. Okyptený československý štát mal životný záujem, aby čo najskôr došlo k stabilizovaniu vnútornej a zahraničnej politiky štátu, k oživeniu hospodárskeho kolobehu a k obnoveniu hospodárskych, komunikačných a železničných stykov v rámci republiky i so susedmi. Z toho logicky vyplývalo, že Praha sa usilovala, čo najskôr dať bodku za viedenskou arbitrážou.

Slovenská verejnosť prijala rozhodnutie o odstúpení južného pásu Slovenska s rozhorčením, pretože nešlo len o veľké okyptenie slovenského teritória a stratu značného slovenského etnika, ale tiež o odstúpenie najúrodnejšej oblasti republiky, o prerušenie dopravných a železničných tepien a násilné rozdelenie okresov, čo spôsobilo vážne hospodárske a zásobovacie ťažkosti. Prirodzene, najväčšia nespokojnosť zavládla medzi slovenským a českým obyvateľstvom na území, ktoré malo byť odtrhnuté od republiky. Ľudácke vedenie po prekonaní prvého šoku sa na jednej strane síce podriadilo viedenskému rozhodnutiu, na druhej strane, v snahe zachovať si tvár pred verejnosťou a tlmočiť jej nesúhlas, vyhlasovalo, že Slovensko sa stalo obeťou nespravodlivosti, a preto sa bude usilovať o jeho revíziu. Ľudácka politika naivne verila, že za pomoci Nemecka bude možno ešte urobiť dodatočné korekcie v hraničnej čiare a navrátiť slovenské dediny späť k republike. „Odteraz budeme prevádzať skutočnú slovenskú iredentu", vyhlásil Tiso 3. novembra 1938 na zasadnutí klubu poslancov a senátorov HSĽS.[3] V tomto duchu, hneď po vyhlásení arbitráže, Tuka a Mach urobili okružnú cestu po južnom Slovensku, kde ubezpečovali tamojšie slovenské obyvateľstvo, že viedenské rozhodnutie nie je definitívne a Slováci sa späť vrátia do vlasti. Šéf propagandy slovenskej vlády dokonca upokojo-

nie ministerstva zahraničných vecí nových československých hraníc 14. 11. 1938. č. 20.

[3] HOENSCH, J. K.: Der Ungarische Revisionismus..., s. 197; Slovák 4. 11. 1938.

val obyvateľov tvrdením, že na území, ktoré pripadne Maďarsku, nevrátia sa staré uhorské pomery, ani maďarský útlak, pretože maďarská vláda očakáva Slovákov s „bratskou láskou"[4] a veril, že s Maďarskom sa podarí nájsť spoločný jazyk.

Medzitým Tisovej vláde robilo najväčšie starosti ako upokojiť obyvateľstvo na slovenskom juhu, aby sa jednak predišlo panike a jednak zabránilo jeho masovému úteku. Ľudácka vláda vyzvala všetkých štátnych a verejných zamestnancov, aby neopúšťali svoje miesta a prisľúbila, že im poskytne primeranú pomoc a zabezpečí ich ochranu. Veľký dôraz sa kládol najmä na to, aby inteligencia zotrvala na odtrhnutom území. Od nej sa očakávalo nielen udržanie slovenského povedomia, ale aj posilnenie slovenského živlu na Dolnej zemi. Osobitná pozornosť sa pritom venovala učiteľom, ktorí boli vyzvaní, aby ako „duchovní vodcovia národa" neopúšťali slovenský ľud.[5] Ľudácka vláda sa nazdávala, že na obsadenom území sa jej podarí udržať činnosť HSĽS, ktorá jednak okolo seba združí národný život na odtrhnutom teritóriu a jednak bude reprezentovať hlavnú silu za návrat Slovákov do vlasti.

Z hľadiska ľudáckej politiky bolo dôležité, aby vykázala nejaký úspech. Myslelo sa pritom na akcie, ktoré by boli zamerané na záchranu časti územia, resp. slovenského obyvateľstva na juhu. Keďže viedenská arbitráž presne neurčila hraničnú čiaru a presunula to do kompetencie československo-maďarskej delimitačnej komisie, tu sa naskytla možnosť dosiahnuť určité korekcie budúcej hranice. Do konca roku 1938 sa Tisova vláda zaoberala dvoma myšlienkami. V prvom prípade sa usilovala o revíziu viedenského rozhodnutia na východnom Slovensku. Za pomoci Poľska bola rozhodnutá podporiť u ústrednej vlády maďarské nároky na Zakarpatskú Ukrajinu, a to za predpokladu, že by v Budapešti súhlasili s návratom Košíc a s okresmi Nové Zámky a Rož-

---

4 OL, Küm. pol. 1938–7/7–3265/3851/, Bratislava 8. 11. 1938.
5 AFMZV, Právna sekcia, krab. 65, č. 158.882/VI/4/38. Rozhovor I. Krno–F. Ďurčanský 9. 11. 1938; Slovák 4. 11. 1938.

ňava. Keď tento nebezpečný obchod s územím Syrového vláda rázne odmietla,[6] pretože umožňoval tvoriť maďarsko-poľský koridor proti republike, a tým aj zväčšoval obkľúčenie Slovenska Maďarskom, ľudáci sa usilovali o hraničné zmeny pri vymedzovaní delimitačnej čiary a pri vzájomnej výmene obcí. Ani tu sa však nepodarilo dosiahnuť markantný úspech.

V Maďarsku i keď zaznievali víťazné fanfáry, v podtóne bolo cítiť sklamanie z viedenského rozhodnutia. Do istej miery síce došlo k uvoľneniu vnútorného napätia, ktoré bolo vyvolané netrpezlivosťou revizionistických vášní, ale nesplnené nároky na celé Slovensko a najmä na Zakarpatskú Ukrajinu spôsobili rozčarovanie širokej verejnosti i oficiálnych kruhov. Hlavná vina za nesplnenie „veľkej revízie" sa ani tak nepripisovala odporu Československa, ako zámernej neochote nacistického Nemecka, ktoré chce využiť východnú časť republiky pre vlastné zámery.[7] Maďarská vláda napriek tomu, že dala svoj podpis pod viedenské rozhodnutie a zaviazala sa „prijať arbitrážny výrok ako definitívnu úpravu" hraníc, od začiatku ho nebrala vážne, nové hranice pokladala za provizórium a arbitráži dávala svoju špecifickú interpretáciu. Tie články protokolu, ktorými Maďarsko získalo, vehementne presadzovalo a dožadovalo sa ich rýchlej realizácie, druhé zasa, kde maďarská vláda prevzala záväzky, vysvetľovala po svojom. Tak napríklad K. Kánya 19. novembra 1938 argumentoval, že vo Viedni sa síce určili hranice, ale maďarská vláda ich nepokladá za definitívne, pretože nevznikli na základe plebiscitu. Preto, ak by vývin vo východnej časti republiky viedol k nastoleniu otázky ľudového hlasovania, v dôsledku ktorého by došlo aj k zmene hraníc, Maďarsko nevylučuje možnosť ďalšej revízie. Prakticky to znamenalo, že maďarská politika sa ani ďalej nezriekla územnej revízie a čakala iba na vhodnú príležitosť, aby anulovala viedenské rozhodnutie. Z toho potom logicky vyplývalo, že keď československá vláda vzniesla otázku podpísania

---

[6] SÚA-AA, č. 18190–91, Praha 15. 11. 1938; LUKEŠ, F.: c. d., s. 184.
[7] A Wilhelmstrasse..., s. 321–323, č. 159.

Bledskej dohody z augusta 1938, ktorá by definitívne uzavrela otázku maďarskej menšiny medzi Maďarskom a Československom, v Budapešti to jednoznačne odmietli. Kánya vyhlásil, že Maďarsko napriek vyriešeniu otázky nemôže prevziať záväzok o neútočení proti republike.[8] Prirodzene, že československá vláda takúto interpretáciu viedenskej arbitráže jednoznačne odmietla a na podopretie svojho stanoviska uvádzala dva argumenty: Maďarsko sa vopred zaviazalo, že rozhodnutie rozhodčieho súdu bude pokladať za definitívne a že v dodatku mníchovskej dohody sa výslovne hovorí iba o riešení maďarskej a poľskej menšiny a teda požiadavka Imrédyho vlády na plebiscit na celom území Slovenska a Zakarpatskej Ukrajiny nemá žiadne opodstatnenie.[9] Aj keď hlavný nápor maďarskej revizionistickej politiky smeroval na Zakarpatskú Ukrajinu, v Budapešti nezanedbávali ani problém okolo Slovenska.

Maďarské vládne kruhy boli presvedčené, že viedenská arbitráž utvorila priaznivejšie podmienky na skoré pohltenie Slovenska. Imrédyho vláda bola toho názoru, že nová situácia, utvorená odstúpením územia a postupným vymedzovaním hraničnej čiary, poskytuje široké možnosti na vyvíjanie nátlaku, na ovplyvňovanie pomerov a na vyvolanie nepokojov a choasu na Slovensku. Ak by táto taktika mala úspech, potom by mohla zasiahnuť maďarská armáda a postaviť veľmoci i československú vládu pred fait accompli. Mnohé akcie nasvedčovali tomu, že Maďarsko chcelo hospodársky rozvrátiť Slovensko a vyvolať politický zmätok. Na demarkačnej čiare vznikali incidenty, podnikali sa teroristické akcie na československé územie, organizovali sa vojenské prepady a maďarská propaganda prevádzala násilne agitáciu za pripojenie ďalších dedín k Maďarsku a pod., ktoré mali nielen destabilizovať pohraničie, ale sťažovať a komplikovať československo-maďarské rokovanie o normalizácii vzťahov,

---

8 AFMZV, PS č. 70 Budapešť 19. 11. 1938.
9 AFMZV, TO č. 1912/38, Praha 21. 11. 1938; Tamže, Kabinet vecný, krab. 44, bez č. Výklad I. Krnu novinárom 25. 11. 1938 a 13. 1. 1939.

stupňovať napätie na Slovensku a v konečnom dôsledku rozvrátiť československú štátnosť. Maďarská armáda bola pripravená kedykoľvek vtrhnúť na Slovensko a okupovať ho.[10] Maďarská propaganda neustále kalkulovala s tým, že sa nepodarí preklenúť česko-slovenské rozpory v štáte a geopolitické postavenie Slovenska po strate najúrodnejšej časti posilní odstredivé sily v slovenskej politike, ktorá bude hľadať východisko v promaďarskej orientácii, resp. v návrate Slovenska k Maďarsku.[11]

Maďarské podvratné akcie nezaskočili československú politiku. Československá vláda mala už určité skúsenosti s vymedzovaním hraníc pri rokovaní s Nemeckom a Poľskom. Usilovala sa urobiť patričné opatrenia na zamedzenie incidentov, provokácií, prepadov na hraničnej čiare a vo vnútrozemí. Keď sa množili znepokojujúce správy z pohraničia, podľa ktorých „Maďari nemajú v úmysle rešpektovať viedenské rozhodnutie", československá vláda podnikla rázne kroky proti podvratnej politike Imrédyho vlády. *M. Kobr,* československý vyslanec, už 8. novembra 1938 intervenoval u maďarskej vlády a žiadal zastaviť a zamedziť akcie teroristov a zabezpečiť pokoj na hranici. Pohrozil, že v opačnom prípade Československo zastaví evakuáciu územia.[12] Podobné intervencie sa opakovali aj neskôr, ale nepriniesli patričný efekt, pretože maďarská politika nemala záujem na normalizovaní pomerov. Aj keď na jednom úseku prepady a provokácie sa pritlmili, obnovili sa zasa na druhom mieste a napätá atmosféra na pohraničí trvala ďalej.

Celkovo treba konštatovať, že ciele maďarskej politiky sa ani po viedenskej arbitráži nezmenili. Nóvum možno zaznamenať

---

[10] AÚML ÚV KSS. Fond I. ČSR, III/106, č. 2704. Informácia KÚ, Bratislava 26. 11. 1938; Tamže, Fond I. ČSR, III/110, č. 2594. Cirkulár slovenskej vlády; AFMZV, Kabinet vecný, krab. 73. Správy MNO 1.–30. 11. 1938; ŠÚA-SSR, ÚPV, krab. 1, č. 385 a č. 2867.

[11] AFMZV, Kabinet vecný, krab. 46, č. 17739/II,1/39, Budapešť 28. 1. 1939.

[12] AFMZV, Kabinet vecný, krab. 46. Rokovanie s Maďarskom r. 1938. Budapešť 5. 11. 1938; Tamže, Kabinet vecný, krab. 46. Rokovanie s Maďarskom r. 1938. Správa P. Fíšu z Budapešti 8. 11. 1938.

iba v taktike. Keďže Maďarsko už nemohlo svoje územné nároky zakrývať rúškom požiadaviek maďarskej menšiny, muselo ambície na reštitúciu „historických" hraníc zdôvodňovať inými argumentmi. Imrédyho vláda sa po viedenskom rozhodnutí už otvorene hlásila k svätoštefanskej idei a viedla kampaň za „oslobodenie ďalších obsadených území", pričom vynakladala veľké úsilie na jej propagáciu na Slovensku prostredníctvom tlače, rozhlasu a rozvetvenej publicistickej literatúry. V revizionistickej činnosti nezaostávali ani rôzne iredentistické spolky, ktoré organizovali akcie a zdôvodňovali „nutnosť" ďalšej územnej revízie. Veľkú aktivitu v tomto smere vyvíjalo najmä Združenie hornouhorských spolkov (Felvidéki Egyesületek Szövetsége), ktoré v polovici novembra 1938 v mene „bývalých i súčasných obyvateľov Slovenska a Zakarpatskej Ukrajiny" apelovalo memorandom na veľmoci, aby „odčinili krivdu" Trianonu. O mníchovskej dohode sa tam hovorilo ako o prvej etape, po ktorej musí nasledovať ďalšia. Žiadali veľmoci, aby rozhodli o usporiadaní plebiscitu na Slovensku a Zakarpatskej Ukrajine. Začiatkom roku 1939 sa toto iredentistické združenie obrátilo na maďarský parlament s výzvou, aby sa zasadil u veľmocí za myšlienku návratu Slovenska do Maďarska. V memorande sa uvádzalo, že všetky strany, zastúpené v parlamente, sú zajedno v tom, že „niet jedného Maďara, ktorý by si neprial navrátenie Hornej zeme". O viedenskej arbitráži sa hovorilo ako o dočasnom riešení, ktoré už ďalší vývin prekonal. Memorandum sa otvorene hlásilo k idei svätoštefanskej ríše.[13]

Svoju skutočnú tvár ukázala maďarská politika voči Slovákom na odtrhnutom území. Hneď po jeho odstúpení, ktoré maďarskí honvédi obsadzovali s veľkou pompou, sa tam nastolila vojenská diktatúra. Celú správu okupovaného územia riadilo a vykonávalo vojenské velenie. Už hneď prvé dni okupácie ukázali, že

---

[13] OL, ME, Nemzetiségi osztály 1939, 76. cs., P-15278. Memorandum FESZ-u 15. 11. 1938; Tamže, ME, Nemzetiségi osztály 1939, 76 cs. P-15278. Memorandum FESZ-u pre poslancov z januára 1939; VIETOR, M.: Dejiny okupácie južného Slovenska 1938–1945. Bratislava 1968, s. 49.

pre slovenskú a českú menšinu nastali zlé časy. Maďarská vláda, ignorujúc 5. článok viedenského protokolu, kde sa určovali podmienky ochrany menšín v oboch štátoch, sama rozhodla o závažných opatreniach. Tieto sa veľmi negatívne premietli do vzťahov s československým štátom. Šéf maďarského generálneho štábu hneď 5. novembra 1938 vydal rozkaz vyhostiť všetkých českých a slovenských kolonistov z okupovaného územia. Maďarská vláda tento svoj krok odôvodňovala tým, že kolonisti nie sú autochtonými obyvateľmi na tomto území, navyše menia etnickú tvárnosť teritória a už len ich prítomnosť „provokuje" maďarské obyvateľstvo. Po kolonistoch podobný osud stihol aj verejných a štátnych zamestnancov českej a slovenskej národnosti, ktorých sem preložila československá vláda po roku 1918, ale aj slovenských roľníkov, ktorí boli dedičnými vlastníkmi pôdy alebo ju kúpili v čase pozemkovej reformy. Napokon vyhostili alebo násilne vysťahovali aj všetkých tých, ktorých označili za nespoľahlivých a nežiadúcich na „oslobodenom" území. Treba dodať, že tieto opatrenia sa prevádzali brutálnou formou a ich sprievodným znakom bolo fyzické násilie, došlo aj k streľbe a k obetiam na životoch. V mestách nastalo plienenie majetku a obchodov obyvateľstva slovenskej a českej národnosti.[14]

Slovenska sa najcitlivejšie dotkol šovinisticky a priamo odnárodňovací postup maďarských vládnych orgánov voči slovenskej menšine na okupovanom teritóriu. Sľuby o „bratstve" sa rýchlo rozplynuli. Okrem dolnozemských Slovákov sa po viedenskej arbitráži ocitla aj vyše štvrťmiliónová slovenská menšina tvárou tvár národnostnému útlaku, ktorý sa ničím nelíšil od starých uhorských pomerov. Aj keď sa spočiatku u časti maďarských vládnych činiteľov objavili nesmelé tendencie, aby sa aspoň formálne poskytli slovenskej menšine určité národnostné práva, ktoré by sa mohli propagačne využiť pri revizionistickej kampani za získanie ostatného Slovenska, boli tieto hneď v zá-

---

[14] AFMZV, PS č. 70 Budapešť 19. 11. 1938; Tamže, PS II, krab. 327a, č. 160.370/V-3/38, Praha 14. 11. 1938; VIETOR, M.: c. d., s. 37–38.

rodku udusené a prevládla stará prax národnostnej politiky. Zvíťazil názor, že na odstúpenom území treba prehĺbiť maďarský etnický charakter a neposkytovať národnostné práva Slovákom, pretože by to vyvolalo reakciu u ostatných menšín a najmä u maďarských Nemcov.[15] Maďarská vojenská okupačná a neskôr aj civilná správa, ktorá ju koncom roku 1938 vystriedala, začali priamo pohon na slovenské obyvateľstvo a utvárali tak neznesiteľné podmienky. Drasticky sa postupovalo najmä voči slovenským učiteľom, ktorých prepustili a vyhostili v dôsledku zrušenia slovenských škôl, nespoľahlivosti a neovládania maďarského jazyka. Do začiatku roku 1939 z 1119 učiteľov na okupovanom území bolo prepustených a vykázaných 862. Cieľ bol zrejmý – čo najviac ochromiť výchovu a výučbu v slovenskom jazyku a znížiť stav slovenského obyvateľstva a najmä inteligencie na okupovanom území. Nebolo pochýb, že maďarská vláda týmito drastickými opatreniami chcela obnoviť stav pred rokom 1918 a navyše násilným znížením počtu slovenského obyvateľstva dokázať pravdivosť maďarských štatistík z roku 1910, aby mala uľahčenú prácu v práve sa schádzajúcej zmiešanej československo-maďarskej komisii.[16]

Surová odnárodňovacia a utláčateľská politika maďarských vládnych kruhov na okupovanom území narazila na odpor uvedomelého slovenského obyvateľstva, ktoré sa nechcelo zmieriť s osudom okupácie a odmietalo nedemokratické a brutálne metódy vládnutia, bránilo sa proti zníženiu svojej životnej úrovne, odbúravaniu buržoáznodemokratických slobôd i sociálnych vymožeností. Preto sa ani maďarskej politike nepodarilo získať kolaborantov v radoch slovenskej menšiny. Brutálny postup maďarských orgánov vyvolal spontánny vzdor a podnietil na mnohých miestach demonštrácie slovenského obyvateľstva, ktoré

[15] TILKOVSZKY, L.: Revízió és a nemzetiségpolitika..., s. 35.
[16] AFMZV, Právna sekcia, krab. 63, f. 3, č. 13177. Nóta maďarskej vláde začiatkom roku 1939; ŠÚA-SSR, SL, krab. 72, č. 208/39. List Slovenskej ligy pre slovenskú vládu 4. 1. 1939; TILKOVSZKY, L.: Revízió és a nemzetiségpolitika..., s. 95.

vyjadrovalo svoj protest proti politike maďarskej vlády, proti odnárodneniu a žiadalo spätné pripojenie k republike.[17] Tento aktívny odpor slovenskej menšiny na odtrhnutom území veľmi negatívne vplýval na maďarskú propagandu, pretože doma i v zahraničí značne dezavoval legendu o „živelnej túžbe" Slovákov vrátiť sa pod „ochranu" svätoštefanskej koruny a zároveň kompromitoval akúkoľvek promaďarskú líniu, resp. tendenciu v slovenskom politickom tábore. Vinou maďarskej vládnej politiky sa vzájomné vzťahy po viedenskej arbitráži nenormalizovali. Práve naopak, veľmi nepriaznivé postavenie obyvateľstva slovenskej a českej národnosti na okupovanom území pridalo k otázke hraníc ďalší závažný problém, ktorý na sklonku roku 1938 najviac zamestnával obidve vlády. Československá politika drastické opatrenia maďarskej vlády jednoznačne hodnotila ako svojvoľné porušenie viedenského rozhodnutia a vyjadrila svoje výhrady tak k meritu, ako aj spôsobu riešenia celého problému.

Najostrejšiu reakciu vyvolal bezprávny postup maďarských honvédov a okupačných orgánov proti kolonistom. Československá vláda už v polovici novembra 1938 žiadala maďarskú vládu, aby zastavila vypovedanie kolonistov, zabránila násilnostiam, lúpeniu a rabovaniu obyvateľstva slovenskej a českej národnosti.[18] Zastávala názor, že Maďarsko nemá právo jednostranne riešiť otázku kolonistov, pretože ich právne postavenie úzko súvisí s otázkou odstúpenia územia, ktoré patrí do kompetencie československo-maďarskej komisie, určenej viedenskou arbitrážou. Preto, kým sa celý problém vzájomne právne nedorieši, žiadala Imrédyho vládu zastaviť vyhosťovanie a dovoliť ko-

---

[17] OL, Küm. pol. 1938–7/7–3265. Správa ministerstva vnútra 26. 11. 1938; Tamže, Küm. pol. 1938–7/7–5/294/, Praha 24. 12. 1938; FABIAN, J.: Svätoštefanské tiene. Bratislava 1966, s. 90–91; VIETOR, M.: c. d., s. 60–61.

[18] AFMZV, Kabinet vecný, krab. 46, č. 162.830/VI/4/38; Tamže, Právna sekcia, krab. 65, f. 12, č. 163.016. Správa P. Fíšu o prácí zmiešaných komisií od 8.–18. 11. 1938.

lonistom návrat do ich domovov.[19] Keďže maďarská vládna politika sledovala opačný cieľ a chcela sa zbaviť kolonistov ešte skôr než by došlo k usporiadaniu pomerov na právnom základe, oznámila 21. novembra 1938 Česko-slovensku, že trvá na vyhostení všetkých kolonistov na okupovanom území. M. Kobr varoval maďarskú vládu od tohto kroku a upozornil, že potom by československá vláda musela tiež siahnuť k odvete.[20] Keď Budapešť nezmenila svoje stanovislo a pokračovala vo vyhosťovaní, slovenská autonómna vláda 22. novembra 1938 nariadila rezortné opatrenia, ktoré postihli maďarských štátnych príslušníkov na Slovensku, osoby maďarskej národnosti, ktoré mali domovskú príslušnosť na obsadenom území a všetkých tých, ktorí vyvíjali protištátnu činnosť alebo z nej boli upodozrievaní.[21] Tým vinou maďarskej politiky v československo-maďarských vzťahoch zavládlo krajné napätie, kde jedna strana sledovala kroky druhej strany a recipročná zásada sa postavila za hlavné kritérium vzájomných vzťahov. Začiatkom decembra 1938 prišli však v Budapešti k záveru, že maďarská politika v otázke kolonistov zašla priďaleko a svojím postupom nedosiahla očakávaný efekt. *I. Csáky,* nový minister zahraničných vecí, na februárovom zasadnutí ministerskej rady roku 1939 povedal, že otázka kolonistov otrávila vzájomné vzťahy do takej miery, že ohrozila ďalšie rokovanie a stala sa vážnou prekážkou pri normalizovaní vzťahov medzi obidvoma štátmi.[22] Na maďarské vládne kruhy najsilnejšie zapôsobil argument, keď československá vláda pohrozila, že podobný osud, ako majetky československých kolonistov na okupovanom území, postihne aj majetky v republike, resp. občanov ma-

[19] OL, Küm. pol. 1938–7–Magyar-cseh tárgyalások a bécsi döntés alapján. Správa 21. 11. 1938.

[20] AFMZV, Právna sekcia, krab. 65, č. 166.219. Správa o rokovaní zmiešaných komisií 21. 11. 1938; Tamže, Právna sekcia, krab. 65, č. 164.276/VI/4/38. Záznam telefonického rozhovoru Krno-Cieker 21. 11. 1938.

[21] ŠÚA–SSR, KÚ, krab. 254, č. 76292. Nariadenie KÚ z 11. 12. 1938.

[22] OL, Minisztertanácsi jegyzőkönyvek 1939. Zasadnutie ministerskej rady 10. 2. 1939. ÚHV SAV, Zbierka mikrofilmov č. 51 RH.

ďarskej národnosti, čo sa predovšetkým týkalo maďarských veľkostatkov. Táto hrozba primäla v decembri 1938 maďarskú vládu k tomu, že prejavila ochotu rokovať o kolonistoch a riešiť ich otázku na právnom základe.[23] Popri kolonistoch slovenskú autonómnu vládu ešte viac znepokojovalo postavenie slovenskej menšiny na okupovanom území a najmä absencia jej právnej úpravy, ktorú predvídala aj 5. časť viedenského protokolu a ktorú Maďarsko jednoznačne ignorovalo. Ľudácke vedenie so znepokojením registrovalo, že maďarské sľuby o povolení činnosti HSĽS na okupovanom území nemali žiaden praktický význam, pretože maďarská vojenská správa od začiatku nielenže krajne obmedzovala akýkoľvek pokus o slovenský národný pohyb, ale ho priamo likvidovala. To malo za následok, že už 15. novembra 1938 Slovák vyjadril nespokojnosť s daným stavom, konštatujúc, že „v Maďarsku žije starý, neznášanlivý duch maďarských slúžnych a žandárov". Súčasne treba konštatovať, že vo vedení HSĽS v otázke postupu voči Maďarsku v tom čase nevládla jednota. Prezrádza to svojvoľná Machova akcia „ponúkanej priateľskej" ruky Maďarsku, ktorá bola z každej stránky škodlivá a odsúdeniahodná.

Šéf úradu propagandy bez vedomia československých ústredných orgánov a československého vyslanectva v Budapešti navštívil v polovici novembra 1938 inkognito maďarskú metropolu a na vlastnú päsť rokoval s maďarskými vládnymi činiteľmi. Podľa Machovho vyhlásenia v bratislavskom rozhlase a tlačových správ rokoval o otázkach, ktoré patrili výlučne do kompetencie československej vlády a slovenskej delegácie, ktorá reprezentovala záujmy slovenskej autonómnej vlády v československo-maďarskej komisii. Machove rozhovory sa týkali otázok

---

[23] AFMZV, Kabinet vecný, krab. 46. Rokovanie s Maďarskom r. 1938, č. 170.619/VI-4/38. Správa P. Fíšu z Budapešti 1. 12. 1938; Tamže, Kabinet vecný, krab. 46. Rokovanie s Maďarskom, č. 173.890/VI-4/38. Správa P. Fíšu z Budapešti 3. 12. 1938; VIETOR, M.: c. d., s. 42; TILKOVSZKY, L.: Slovenská otázka v politike maďarských vládnych kruhov v rokoch 1938–1945. In: Príspevky k dejinám fašizmu v Československu a v Maďarsku. Bratislava 1969, s. 295.

zastavenia prenasledovania slovenských kolonistov a zabezpečenie práv slovenskej menšiny na okupovanom území pod vedením HSĽS, ktorých priaznivé vyriešenie podľa Macha malo otvoriť široké perspektívy slovensko-maďarskej spolupráce. Mach po návrate vyhlásil, že bol spokojný s výsledkami svojich rozhovorov, lebo maďarskí vládni činitelia mu prisľúbili „odstrániť prehmaty nezodpovedných živlov", zaručiť kultúrne a jazykové práva Slovákov na odstúpenom území a „presvedčil som sa – povedal Mach – že v maďarských politických kruhoch sa vynasnažia priblížiť sa k Slovákom". Na odvetu šéf úradu propagandy nešetril lichotivými až pochlebovačnými slovami na adresu Maďarska. Hovoril o „vzájomnej odkázanosti" obidvoch národov, o pripravenosti Slovenska k hospodárskej a kultúrnej spolupráci a dokonca zašiel tak ďaleko, že uveril maďarskej propagande a poprel surovosti a vraždy, ktorých sa dopustili maďarské vojenské orgány na obsadenom území.[24] Z podtextu Machových slov sa dalo vycítiť, že celú zbližovaciu akciu s Maďarskom založil na protičeskej a separatistickej báze.

Ako sa dalo očakávať, Machova zbližovacia akcia vyvolala značnú reakciu tak v republike, ako aj v Maďarsku. Československá oficiálna politika nemohla túto akciu ináč interpretovať ako intrigu a marenie úsilia československej vlády o normalizáciu vzťahov s Maďarskom a ako hrubé ignorovanie práce československej delegácie v zmiešanej komisii a v neposlednej miere ako nebezpečný zásah do riešenia slovensko-maďarských problémov z pozície separatizmu so všetkými jeho dôsledkami. Slovenskí členovia československej delegácie, ktorí sa zúčastňovali na práci zmiešanej komisie v Budapešti, hneď protestovali u Tisu proti Machovmu vyhláseniu, kde Maďarov nazval „bratmi" v čase, keď maďarské okupačné orgány sa dopúšťajú hrubého násilia a vrážd na slovenskej menšine. M. Kobr v mene československého vyslanectva a ako vedúci československej delegácie

---

[24] AFMZV, Právna sekcia, krab. 65, f.13, bez č. Materiál k ceste A. Macha do Maďarska; Slovák 17. 11. 1938.

pre rokovanie s Maďarskom listom vyjadril ostrý protest predsedovi slovenskej vlády, v ktorom poukázal na veľmi nepriaznivé dôsledky Machovho svojvoľného kroku tak pre prácu v československo-maďarskej komisii, ako aj pre celkové maďarsko-československé vzťahy. Upozorňoval Tisu, že Mach svojím konaním môže skrížiť postup československej vlády pri rokovaní s Maďarskom a dať maďarskej politike do rúk inú alternatívu riešenia, ktorou by Československo utrpelo.[25]

Maďarské vládne kruhy Machove lichotivé slová o priateľstve prijali s nadšením. Mach vo svojej politickej primitívnosti a spupnosti zabudol, že týmito výrokmi vlastne nahral maďarskej propagande, a „sadol jej na lep". Samozrejme, že maďarskí činitelia Machovi, ktorý nereprezentoval, ani netlmočil oficiálne stanovisko československej vlády, mohli sľúbiť „hory-doly" bez toho, aby v budúcnosti čokoľvek splnili. Napokon Machovo „zbratanie" sa plne nieslo v duchu maďarskej koncepcie. Ako sa dalo očakávať, po veľkých sľuboch nenasledovali činy. Maďarskej politike prišli vhod Machove vyhlásenia, ktorým dala vlastnú interpretáciu. Kým noviny Uj Magyarság 16. novembra 1938 napísali, že slovenský národ ponúka priateľskú pravicu maďarskému národu, iná maďarská tlač uvádzala, že v slovenskej politike nastal dlho očakávaný obrat. Jeden z talianskych dobre informovaných korešpondentov napísal, že podľa maďarských vládnych kruhov Machova iniciatíva prezrádza protičeskú a promaďarskú orientáciu v slovenskej politike a nastoľuje otázku, či Mach nereprezentuje v slovenskej vláde opozíciu proti Tisovi.[26] Z Machovej cesty a jeho výrokov v Budapešti urobili jednoznačný záver, že v slovenskom politickom tábore existujú ešte šance na úspech a maďarská propaganda mala ďalší dôkaz o rozporoch v slovenskom politickom tábore a o „odvekom priateľstve" slovenského a maďarského národa.

---

[25] AFMZV, Právna sekcia, krab. 65, f.13, bez č. Materiál k ceste A. Macha do Maďarska.
[26] Tamže.

Ako sa dalo očakávať, Machova akcia sa skončila úplným fiaskom a nevniesla žiadne zmeny do postavenia slovenskej menšiny na okupovanom území. Práve naopak, jej situácia sa neuslále zhoršovala. Slovenčina bola takmer vyradená zo škôl a verejných úradov a pod zámienkou čechofilstva, antihungarizmu a komunistického zmýšľania pokračoval útok proti slovenskej inteligencii. Pod tlakom brutality a svojvôle maďarských vládnych orgánov nútene alebo pod hrozbou opustilo okupované územie celkovo 100 000 Slovákov a Čechov s rodinami.[27]

Slovenská vláda pod tlakom krajne rozhorčenej verejnosti pristúpila k opatreniam, ktoré mali vynútiť zmiernenie politiky maďarskej vlády voči slovenskej menšine. Rozhodla sa uplatniť zásadu reciprocity, čo prakticky znamenalo, že Tisova vláda bola ochotná poskytnúť maďarskej menšine na Slovensku také práva, aké národnostné práva povolí maďarská vláda Slovákom na okupovanom území. Preto, keď v novembri 1938 J. Esterházy predložil slovenskej vláde požiadavky maďarskej menšiny,[28] táto sa nenáhlila s odpoveďou a predlžovala čas. Keď videla vývin národnostných pomerov na odstúpenom území, rozhodla sa pre princíp reciprocity. Na odvetu za národnostný útlak odmietla zriadiť úrad štátneho tajomníka pre maďarskú menšinu, nedovolila používať maďarské národné farby, spievať hymnu, kolportovať maďarské časopisy a neuznala rovnoprávne postavenie maďarskej národnej skupiny v Bratislave.[29] Ako sa dalo očakávať, J. Esterházy ostro protestoval proti zásade reciprocity a odvolával sa na porušenie 5. článku viedenského protokolu. Maďarská vláda a tlač tak isto vehementne dokazovali „nezmyselnosť" zásady recipro-

[27] TILKOVSZKY, L.: Revízió és a nemzetiségpolitika..., s. 125; VIETOR, M.: c. d., s. 42 a 56.

[28] ŠÚA-SSR, ÚPV, krab. 1, č. 1047. Memorandum ZMS bez dáta.

[29] ŠÚA-SSR, ÚPV, krab. 1, č. 1047. Odpoveď slovenskej vlády na memorandum ZMS; AFMZV, PS II, krab. 255, č. 18089. Odpoveď slovenskej vlády na požiadavky maďarskej menšiny, Bratislava 3. 2. 1939; VIETOR, M.: c. d., s. 54; TILKOVSZKY, L.: Revízió és a nemzetiségpolitika..., s. 123.

city, ktorej podľa Maďarska nemôže byť podriadená národnostná politika v oboch štátoch. Pritom sa v Budapešti hrali na urazených a nechceli si uvedomiť, že slovenskú vládu k tomuto kroku prinútili svojou krátkozrakou národnostnou politikou.[30] Napätie v maďarsko-slovenských vzťahoch a retorzné akcie vrcholili na sklonku roku 1938, keď na okupovanom území došlo na mnohých miestach k nepokojom slovenského obyvateľstva a keď maďarská brachiálna moc brutálne zasiahla proti demonštrantom 18. decembra v Komjaticiach a v čase vianočných sviatkov v Šuranoch došlo k streľbe proti slovenskému obyvateľstvu. Vyčínanie maďarských orgánov vyvolalo na Slovensku búrku rozhorčenia. Na krvavé udalosti v Šuranoch, ktoré mali 5 obetí na životoch, reagovala československá vláda 28. 12. 1938 oficiálnym protestom v Budapešti. Vyhlásila, že strieľanie maďarských orgánov do slovenského obyvateľstva vyvolalo v republike veľmi silný a nepriaznivý dojem, ktorý môže len uškodiť vzťahom oboch štátov. Československá vláda sa nechce miešať do vnútorných vecí Maďarska, ale na základe 5. článku viedenského protokolu má právo zaujímať sa o osud československej menšiny v Maďarsku. Pod vplyvom nepriaznivého postavenia slovenskej menšiny v Maďarsku slovenská tlač, rozhlas i ľudácke vedenie opäť zdôrazňovali nespravodlivosť viedenského verdiktu, žiadali plebiscit na obsadenom území a ostro kritizovali prax maďarskej národnostnej politiky, čo vyvolalo nepriaznivú reakciu u maďarskej vlády. Do Prahy dochádzali nóty, v ktorých maďarská vláda protestovala proti „podnecovaniu" nepokojov v radoch slovenskej menšiny v Maďarsku, proti bratislavskému rozhlasu a slovenskej tlači, ktoré „urážajú dôstojnosť" maďarského štátu a pokoj maďarskej menšiny v Československu.[31]

---

[30] VIETOR; M.: c. d., s. 54.
[31] AFMZV, PS III., krab. 327a, č. 184.177. Záznam I. Krnu 28. 12. 1938; Tamže, Pozostalosť dr. F. Chvalkovského 1938–1939, č. 4252. Rozhovor F. Chvalkovský-Rosty-Forgách, maďarský chargé d'affaires v Prahe 1. 1. 1939; Tamže, PS II., krab. 284, č. 3852. Odpoveď ministra vnútra v Bratislave 4. 1. 1939 na maďarské

Maďarská vládna propaganda a politika ďalej pokračovala po starej vyšliapanej ceste a všetku vinu za napäté vzťahy zvaľovala na československú stranu. Zaslepene a tvrdohlavo vyhlasovala, že menšinová politika Maďarska nikdy nebola politikou útlaku, pretože vláda menšinovú politiku rieši v duchu 1000-ročnej tradície a svätoštefanskej myšlienky. Ak na odtrhnutom území slovenská menšina je nespokojná, zato nesú zodpovednosť sami Slováci, lebo sa „dobrovoľne" vzdali svojich verejných funkcií a slovenská inteligencia a učitelia „zutekali" do republiky. Na základe súpisu obyvateľstva z decembra 1938 údajne Slováci nemajú nárok na viac škôl. Napokon, načo by im boli miesta, ktoré by nemohli zaplniť.[32] Slovenská vláda nemá dôvod biť na poplach a rozoštvávať vzájomné vzťahy, pretože ak sa prejavuje napätie medzi maďarskými vládnymi orgánmi a slovenskou menšinou, na príčine je propaganda slovenskej vlády, priamo riadená z centrály v Nitre, ktorá poburuje slovenské obyvateľstvo, živí v ňom nádej na revíziu viedenskej arbitráže a láka ho späť do Československa. Tieto podvratné akcie, tvrdila maďarská propaganda, viedli aj k nepokojom v Komjaticiach a v Šuranoch. Maďarskí žandári sa podľa toho iba bránili proti ozbrojenému davu a museli zakročiť proti provokáciám, ktoré boli riadené zo zahraničia.[33] Dokonca niektorí maďarskí politici zašli tak ďaleko, že bagatelizovali národnostné problémy na okupovanom území a prezentovali ich tak, ako by iba slovenská vláda mala záujem ich rozdúchavať.[34]

Podľa maďarských vládnych predstáv vina za napäté vzťahy medzi obidvoma štátmi mala výlučne padnúť na hlavu sloven-

---

sťažnosti; OL, Küm. pol. 1938–7/7-4418, Budapešť 22. 12. 1938; Tamže, Küm. szemjeltáviratok 1938, kimenő, č. 139, Budapešť 31. 12. 1938; Slovák 22. 12. 1938.

[32] BORSODY I.: Szlovákia. In: Magyar Szemle 1939, máj-august, s. 31; CLEMENTIS, V.: Medzi nami a Maďarmi. Londýn, s. 61–62; Slovák 22. 12. 1938.

[33] AFMZV, PS III., krab. 327a, č. 183.759. Správa rozhlasovej odpočúvacej služby 27. 12. 1938 Budapešť 1; DIMK, III, s. 301–304, č. 180, s. 318, č. 196.

[34] DIMK, III., s. 302, č. 180.

skej autonómnej vlády, ktorá „bezdôvodne" vyvolala nezhody. V pozadí celej kampane údajne nefigurujú skutočné maďarsko-slovenské rozpory, ale politické špekulácie Tisovej vlády, ktorá sa z podnetu Prahy a Berlína usiluje rozdúchavať protimaďarské nálady a umelo udržiavať napätie v maďarsko-slovenských vzťahoch. Z tejto argumentácie logicky vyplývalo, že protimaďarské útoky a nepriateľstvo slovenskej vlády nemá hlboké korene, ani nie je spontánnym prejavom slovenského národa, ale iba výsledkom bratislavskej vládnej kampane. Kam až došla vo svojej nekritickosti maďarská diplomacia pri hodnotení Slovenska, dokazuje správa konzulátu z Bratislavy zo začiatku roku 1939, v ktorej sa hovorilo, že ani po udalostiach v Šuranoch verejná mienka sa nenechala „oklamať" vládnou propagandou a „slovenský národ v hĺbke srdca aj teraz je naklonený k Maďarom".[35] Prirodzene, želanie tu bolo otcom myšlienky a do Budapešti maďarskí diplomati písali tiež správy, aké tam chceli čítať. Ich cieľom nebolo vlastne informovať o reálnej situácii na Slovensku, ale iba utvrdiť maďarských oficiálnych činiteľov o správnosti ich politickej línie.

Na sklonku roku 1938 sa Imrédyho vláda ocitla v závoze. Doma jej vytýkali, že nedosiahla „historické" hranice na Karpatoch, v Poľsku ju kritizovali za prílišnú kolísavosť a nerozhodnosť a v Nemecku s ňou neboli spokojní pre značné taktizovanie a odklon od berlínskej línie. K vyvrcholeniu nespokojnosti s Imrédyho vládou došlo vtedy, keď maďarská politika v novembri 1938 utrpela fiasko svojími plánmi násilného pohltenia Zakarpatskej Ukrajiny. Vnútropolitické napätie a zhoršený vzťah s Nemeckom si nutne vyžiadali zmeny vo vládnej politike. Po demisii Imrédyho vlády M. Horthy 27. novembra 1938 opäť poveril Imrédyho zostavením novej vlády, z ktorej však K. Kánya vzhľadom na ne-

---

[35] OL, Küm. pol. 1938–7/7–1/869/. Bratislava 20. 2. 1939; AFMZV, Kabinet vecný, krab. 46, bez č. Slovensko. Záznam z 31. 12. 1938; DIMK, III., s. 301–304, č. 180.

143

mecké výhrady a jeho kritiku, musel odstúpiť. Tým, že sa na neho zvalila všetka vina za zakolísanie maďarskej politiky v čase Mníchova, za ochladenie vzťahov s Berlínom i za pripravovanú akciu na Zakarpatskej Ukrajine, Imrédy sa mohol zachrániť. V zahraničnej politike nová vláda našla riešenie v tom, že v záujme získania ďalších teritórií. Maďarsko sa musí ešte tesnejšie primknúť k Nemecku, pretože len v plnej zhode s ním môže rátať so splnením ďalších revizionistických ašpirácií proti druhej republike.[36]

Novým ministrom zahraničných vecí sa stal gróf I. Csáky, ktorý bol vedúcim kabinetu v Kányovom ministerstve. Bol to politik plytkého rozhľadu a diplomat malého formátu. Za hlavný cieľ si vytýčil posilnenie priateľstva a tesnejšie pripútanie maďarskej politiky k Nemecku. Hoci na celkovej revizionistickej koncepcii nič nemenil, vniesol do nej nové momenty, ktoré boli zamerané na prekonanie jej strnulosti a nepružnosti. Csáky zvolil novú taktiku aj vo vzťahu k druhej republike. Nóvum bolo v tom, že lepšie zladil maďarské plány s nemeckými voči Československu, od čoho očakával nové úspechy pre maďarskú revíziu. Kányov strnulý postoj voči Prahe pokladal už za prekonaný a nečasový a skôr sa klonil k taktike uzmierenia, z ktorej maďarská politika chcela profitovať. Preto Csáky po neúspechu so Zakarpatskou Ukrajinou dal pokyn k zastaveniu oficiálnej propagandy proti viedenskej arbitráži, odvolal akciu „szabadcsapatok" a usiloval sa vyhnúť sa veľkým hraničným incidentom s Československom, ktoré by sa dali interpretovať ako neakceptovanie viedenského rozhodnutia.[37] V januári 1939 nový minister zahraničných vecí navštívil Nemecko a od Hitlera pokorne prijal kritiku minulých chýb maďarskej politiky a prisľúbil, že Maďarsko v stredoeurópskych otázkach bude postupovať v plnej zhode a jednote s Nemeckom.

[36] DIMK, III., s. 240–243, č. 135; ÁDÁM, M.: Magyarország és a kisantant..., s. 341–342.
[37] ÁDÁM, M.: Magyarország és a kisantant..., s. 349.

Kormidelníci nacistickej politiky mu síce na jednej strane dali na vedomie, že Maďarsko nemôže svojvoľne narúšať viedenské rozhodnutie o hraniciach, na druhej strane sa pred Csákym netajili, že Nemecko otázku „Felvikéku" nepokladá za uzavretú a nebude garantovať československú hranicu.[38] *I. Csáky* v polovici decembra 1938, teda krátko po svojom nastúpení, prejavil ochotu k normalizovaniu vzťahov s Československom a prisľúbil M. Kobrovi, že bude pôsobiť na rozhlas a tlač v smere uzmierenia. Na jeho podnet sa 28. januára 1939 v oficiálnom časopise maďarského ministerstva zahraničných vecí Pester Lloyd objavil úvodník, v ktorom sa hovorilo, že maďarská politika kladie bodku za incidentmi a nechce skúmať otázku viny zhoršených vzťahov.[39] Praha uvítala nový kurz Budapešti a očakávala od neho zlepšenie vo viacerých smeroch. Predovšetkým pokoj na hraniciach, dokončenie práce zmiešanej komisie, opustenie propagandy proti viedenskému rozhodnutiu, oživenie hospodárskych kontaktov a napokon zlepšenie postavenia slovenskej menšiny na okupovanom území, bez čoho nebolo možno pomýšľať na utvorenie korektných vzťahov medzi Budapešťou a Bratislavou. Československá vláda na znak dobrej vôle urobila gesto a koncom roka 1938 podpísala s Maďarskom dohodu o amnestii, na základe ktorej prepustila 350 zajatých maďarských teroristov na československom území.[40]

V novom maďarskom kurze sa rátalo aj s prehodnotením dovtedajšieho postoja voči Slovensku a Csáky vyhlásil Kobrovi, že

---

[38] OL, Minisztertanácsi jegyzőkönyvek 1939. Expozé I. Csákyho 20. 1. 1939. ÚHV SAV, zbierka mikrofilmov, č. 51 RH; A Wilhelmstrasse..., s. 342–350, č. 176 a 177.
[39] AFMZV, Kabinet vecný, krab. 44. Krnove výklady novinárom 16. 12. 1938; Tamže, ZÚ Budapešť, krab. 21, č. 85, Budapešť 29. 12. 1938; Tamže, PS III, krab. 327a, č. 184.178, Budapešť 28. 12. 1938; OL, Küm. pol. 1938–7/7–4369, Praha 15. 12. 1938.
[40] OL, Küm. pol. 1939–7/7–578, Praha 28. 1. 1939; Tamže, Küm. pol. 1938–7/7–4369, Praha 15. 12. 1938; AFMZV, Kabinet vecný, krab. 46, č. 17739/II–1/39. Slovensko, Budapešť 28. 1. 1939.

Maďarsko „ponúka ruku k uzmiereniu so Slovákmi".[41] Ktoré momenty a faktory rozhodli o zmene taktiky Budapešti voči Slovensku? Nesporne fakt, že v najbližšom okolí Imrédyho prišli k záveru, že vyostrenie vzťahov, vzájomné útoky a obviňovanie slovenskej autonómnej vlády nepriniesli očakávaný výsledok. Práve naopak, maďarská politika svojím postupom stratila na Slovensku všetko a viedla k vytriezveniu aj posledných maďarofilov. Na sklonku roku 1938 v Budapešti so znepokojením registrovali zmiernenie trecích plôch medzi Bratislavou a Prahou a prehĺbenie napätia medzi Maďarskom a slovenskou autonómnou vládou, čo podľa Budapešti malo za následok ďalšie upevnenie spolupráce Tisovej vlády s Nemeckom a posilnenie slovenského separatizmu nie smerom na Maďarsko, ale na Berlín. Preto časť maďarských vládnych kruhov, ku ktorým patril i Csáky, dospela k záveru, že je potrebné pristúpiť k prehodnoteniu maďarsko-slovenských vzťahov, najmä tých problémov, čo sa nakopili po viedenskej arbitráži. Ďalej už nemožno postupovať predchádzajúcou praxou. Do starej koncepcie treba vniesť novú taktiku, ktorá by dopomohla nielen k odstráneniu nedôvery a napätia medzi Maďarskom a Tisovou vládou, ale bola by schopná položiť maďarsko-slovenské vzťahy na nové základy a usmerniť slovenskú politiku do maďarských vôd. Maďarská politika musí predísť tomu, aby svojím postupom hnala vodu na mlyn Prahe a Berlínu. Za prvý krok v tomto smere možno pokladať zastavenie oficiálnej agitácie maďarskej vlády proti viedenskému rozhodnutiu o hraniciach, štvavej propagandy proti Tisovej vláde a jeho politike. V Budapešti očakávali, že utvorenie priaznivejšej atmosféry otvorí dialóg medzi Budapešťou a Bratislavou, čo postupne povedie k otupeniu protimaďarského hrotu Tisovej vlády.[42] Teda išlo o oživenie už známych metód; hlásaním „priateľstva k Slovákom" sa malo zabudnúť na nezhody a roz-

---

[41] AFMZV, PS č. 1 Budapešť 2. 1. 1939; Tamže, PS III, krab. 327a, č. 184.178, Budapešť 28. 12. 1938; Tamže, ZÚ Budapešť, krab. 21, č. 85, Budapešť 29. 12. 1938.
[42] AFMZV, PS č. 1 Budapešť 2. 1. 1939.

pory, ktoré vznikli v dôsledku okupácie slovenského teritória, zakryť brutálne národnostné praktiky na slovenskom obyvateľstve, a tým otupiť celkovú bdelosť pred maďarskými hegemonistickými plánmi. Za týmto účelom maďarská vláda obnovila predchádzajúce hospodárske ponuky autonómnej vláde na Slovensku, bola ochotná zabudnúť na požiadavky Tisovej vlády na revíziu viedenskej arbitráže, ďalej hovoriť len pro forma o dôležitosti menšinovej otázky vo vzájomných vzťahoch a položiť bodku za tlačovými útokmi, ktoré v poslednom čase krajne otrávili atmosféru. *J. Vörnle,* stály zástupca ministra zahraničných vecí, 28. decembra 1938 výslovne povedal Kobrovi, že „udalosti v Šuranoch sú Maďarom krajne nepríjemné a nie sú plne v intenciách maďarskej vlády". Súčasne maďarská vláda ubezpečila bratislavské vedenie, že incident v Šuranoch prísne vyšetrí, pretože má záujem na vybudovaní dobrých vzťahov so Slovenskom a chce skoncovať s neudržateľnou situáciou.[43] V Budapešti nechýbali ani skeptici, ktorí si boli vedomí, že na Slovensku vládne veľká nedôvera voči maďarskej politike a Tisovu vládu, ktorú údajne podnecujú z Berlína a Prahy proti Maďarsku, nebude ľahko získať pre uzmierenie v maďarsko-slovenských vzťahoch, najmä keď slovenských politikov pokladali za megalomanov, ktorí slepo veria v nemeckú pomoc proti Maďarsku a od Nemcov očakávajú aj podporu pri revízii južných hraníc.[44]

Na prelome rokov 1938–1939 v maďarskej politike voči Slovensku možno pozorovať ešte jeden nový moment. Maďarské vládne kruhy sa vrátili k staršej myšlienke, podľa ktorej Slovensko možno ovládnuť pomocou Prahy. Tentoraz sa kalkulovalo s tým, že ľudácka separatistická politika svojím zahrotením proti Prahe i Budapešti utvára predpoklady na ich zblíženie. Okrem toho maďarská politika živila v sebe presvedčenie, že predstavite-

[43] AFMZV, PS III, krab. 327a, č. 184.178, Budapešť 28. 12. 1938; Tamže, PS č. 1 Budapešť 2. 1. 1939; DIMK, III, s. 282–283, č. 162.
[44] AFMZV, Kabinet vecný, krab. 46. Slovensko, bez č. Záznam 31. 12. 1938.

lia centralistickej politiky sa v Prahe sklamali v ľudákoch a už oľutovali slovenskú autonómiu, z čoho logicky vyplývalo, že Praha neodmietne ponúkanú ruku Maďarska. Napokon v Budapešti sa tvrdilo, že zmizli staré trecie plochy medzi Budapešťou a Prahou, pretože maďarská menšinová otázka sa už nerieši v centre, ale v Bratislave. Tieto maďarské úvahy našli aj svoj konkrétny prejav a podporu u nového ministra zahraničných vecí, ktorý sa začiatkom roku 1939 zdôveril M. Kobrovi, že „zo stanoviska dnešnej maďarskej vlády by bolo vítané vrátenie celého Slovenska, ale keby sa to stalo bez Slovákov".[45]

O budúcom postavení Slovenska v rámci maďarského štátu oficiálni činitelia v Budapešti mali tiež svoju predstavu. Ani koncom roku 1938 sa nevedeli zmieriť s realitou slovenskej autonómie a v dôverných rozhovoroch diplomatickým zástupcom českej národnosti neustále robili narážky, že „predsa pražská vláda to s tou autonómiou slovenskej krajiny nemyslí určite vážne a že pri najbližšej príležitosti ju zasa zruší".[46] Samozrejme, maďarskí politici si nevedeli predstaviť, že by raz Slovensko mohlo vstúpiť do rámca maďarského štátu s vlastnou politickou autonómiou a nehovoriac už o jej vplyve na Slovákov v Maďarsku. Treba však konštatovať, že všetky pokusy druhej Imrédyho vlády, smerujúce k uzmiereniu s Tisovou vládou neviedli k úspechu. Pokračujúca politika národnostného útlaku v Maďarsku a princíp reciprocity, ktorý autonómna vláda aplikovala vo vzťahu k maďarskej menšine na Slovensku, aj naďalej utvárali ohniská napätia. Vo februári 1939 J. Wettstein, maďarský vyslanec v Prahe, musel s poľutovaním konštatovať, že „medzi Slovákmi a Maďarmi vznikli teraz také citové nezhody, ktoré predtým nikdy neboli".[47]

---

[45] OL, Küm. pol. 1938–7/7–4327/282/, Praha 8. 12. 1938; AFMZV, Kabinet vecný, krab. 46. Rokovanie s Maďarskom r. 1939, č. 17739/II–1/39, Budapešť 28. 1. 1939.

[46] AFMZV, Kabinet vecný, krab. 46. Rokovanie s Maďarskom r. 1939, č. 17739/II-1/39, Budapešť 28. 1. 1939.

[47] OL, Küm. pol. 1939–7/7–728, Praha 10. 2. 1939; AFMZV, ZÚ Budapešť, krab. 36, f.863, č. 192. Záznam rozhovoru M. Kobr–M. Horthy 24. 2. 1939.

2. Závery viedenského protokolu v praxi

Súčasť viedenského rozhodcovského súdu tvoril protokol, ktorý obdržali vo Viedni obidve zainteresované vládne delegácie. Okrem všeobecnej preambuly obsahoval sedem článkov. Tieto určovali Československu rozsah územnej straty a ostatné modality súvisiace s celým komplexom problémov, ktoré bolo potrebné riešiť pri vytyčovaní novej hranice medzi Československom a Maďarskom. Týkali sa vyprázdňovania československého územia, stanovenia novej hraničnej čiary, otázok štátnej príslušnosti a opcie na odstúpenom území, zabezpečenia práv národnostných menšín, a to jednak zostávajúcej maďarskej menšiny na Slovensku a jednak slovenskej menšiny, ktorú arbitri s územím prisúdili Maďarsku. Okrem toho viedenský protokol predpokladal spoločné maďarsko-československé rokovanie o úprave hospodárskych, resp. dopravných otázok, ktoré sa vynorili v dôsledku vážnych zásahov do hospodárskeho života československého štátu a prerušenia dopravných a spojovacích tepien. Arbitri obidvom vládam priamo ukladali, aby celý tento komplex problémov doriešili samé v rámci zmiešanej komisie, ktorú za týmto účelom mali konštituovať obidve vlády. V závere protokolu sa uvádzalo, že ak vzniknú ťažkosti pri konkrétnej aplikácii viedenského rozhodnutia, nech ich obidve vlády najprv riešia vo vlastnej kompetencii. V prípade, že by to neviedlo k úspechu, potom o otázke definitívne rozhodnú arbitrážne veľmoci.[48]

Hneď po vyhlásení viedenského verdiktu a jeho podpísaní maďarskou a československou vládou tento nadobudol platnosť a prikročilo sa k jeho realizácii. Československá vláda 4. novembra 1938 nótou oficiálne oznámila do Budapešti, že je pripravená začať rokovanie s Maďarskom o aplikácii viedenského rozhodnutia, vymenovať československú delegáciu do spoločnej komisie a požiadala Imrédyho vládu, aby určila čas a miesto, kde bude komisia rokovať. Súčasne sa v tom istom čase ministerská ra-

---

[48] MD, I., s. 280–281, č. 140.

da uzniesla na utvorení piatich komisií, ktoré sa mali priamo podieľať na praktickom prevedení viedenského rozhodnutia.[49] V skutočnosti išlo len o štyri komisie, pretože evakuačná komisia, o ktorej sa hovorilo už vyvíjala svoju činnosť. Vojenskí experti obidvoch vlád 1. novembra 1938, teda ešte pred viedenským rozhodnutím podpísali v Bratislave spoločný československo-maďarský protokol, ktorý riešil technické otázky, súvisiace s ústupom československých vojsk a s postupným obsadzovaním odstúpeného územia maďarskou armádou.[50] Na základe tejto dohody sa v dňoch 5.–10. novembra uskutočnilo vyprázdňovanie a obsadzovanie vymedzeného územia. Maďarská armáda sa zastavila na vopred určenej a dohodnutej demarkačnej čiare, ktorá sa neskôr mala nahradiť definitívnou hraničnou čiarou medzi obidvoma štátmi.

Vychádzajúc z obsahu jednotlivých článkov viedenského protokolu sa obidve vlády dohodli, že v rámci zmiešanej československo-maďarskej komisie budú pracovať štyri komisie. Tak vznikla delimitačná komisia, ktorá si kládla za cieľ vymedziť definitívnu hranicu, nakoľko ju arbitri na odovzdanej mape určili iba čiarou. Ďalej to bola komisia právna, ktorá sa zamerala na riešenie štátnej príslušnosti, opcie a majetkoprávnych otázok na odstúpenom území. Veľký význam československá vláda pripisovala i hospodárskej komisii, ktorá zahrňovala široký problém hospodárskych, dopravných a komunikačných otázok. Napokon sa konštituovala menšinová komisia, ktorá sa zaoberala riešením menšinových práv v obidvoch štátoch. Kompetencia československo-maďarskej zmiešanej komisie bola dosť značná, na čo poukazuje fakt, že kým rozhodnutie podobnej komisie s Nemec-

---

[49] OL, Küm. pol. 1938–7/7–3265/3810/. Rozhovor G. Apor–M. Kobr. 4. 11. 1938 v Budapešti; SÚA, PMR, krab. 3165, č. 26952/38. Výťah z protokolu ministerskej rady 4. 11. 1938; AFMZV, Kabinet vecný, krab. 46. Rokovanie s Maďarskom r. 1938. Správa z Budapešti 4. 11. 1938.

[50] AFMZV, Právna sekcia, krab. 65, f. 4, č. 159.890. Protokol o evakuácii a odovzdaní odstúpeného územia z 1. 11. 1938; Küm. pol. 1938–7/7–3811. 1938–7/7–3811.

kom podliehalo schváleniu výboru štyroch vyslancov, závery tejto komisie schvaľovali iba kompetentné vlády. Len v prípade, že by sa nenašlo uspokojivé riešenie, zasiahnu veľmoci osi. Československá vláda určila za vedúceho československej delegácie M. Kobra, vyslanca v Budapešti a prijala zásadu, že väčšinu delegátov budú tvoriť zástupcovia ústredných orgánov zo Slovenska. Imrédyho vláda do čela maďarskej delegácie postavila *P. Telekiho*, ministra školstva a vierovyznania a znalca pomerov na maďarsko-slovenskom etnickom rozhraní. Rokovanie prebiehalo v Budapešti a s menšími a väčšími prestávkami trvalo prakticky až do konca existencie druhej republiky a dokonca niektoré komisie pokračovali ešte aj po vzniku slovenského štátu.

Obidve vlády pristupovali k rokovaniu z určitého aspektu, ktorému podriadili aj svoj postup a taktiku. Československá strana bola rozhodnutá nepreťahovať rokovanie a nástojila, aby sa celý problém čo najskôr uzavrel. Československo malo eminentný záujem, aby sa urýchlil proces normalizovania vzťahov so susednými štátmi. *I. Krno,* zástupca ministra Chvalkovského, 25. novembra 1938 povedal, že Syrového vláda sa usiluje „v prvom rade o dobrý vzťah so susedmi, a to nielen o vzťah pasívny, ale o dobrú praktickú spoluprácu".[51] Československá politika si bola vedomá, že čím skôr sa vyriešia „alergické" problémy so susedmi, tým rýchlejšie možno rátať s utvorením priaznivej medzinárodnej atmosféry, ktorá zároveň prispeje aj k vnútornej konsolidácii štátu. Nemalý zástoj pritom zohrali aj hospodárske, dopravné, železničné a zásobovacie záujmy štátu, ktoré si vyžiadali rýchle uzavretie politických problémov. Jedine po uvoľnení napätých vzťahov s Nemeckom, Poľskom a Maďarskom mohla československá politika rátať s oživením hospodárskych a obchodných kontaktov a s obnovením dopravy a železničného styku so zahraničím. V záujme dosiahnutia rýchleho úspechu v rokovaní československá vláda vyzvala Budapešť, aby vplývala na

---

[51] AFMZV, Kabinet vecný, krab. 44. Výklad I. Krnu novinárom 25. 11. 1938.

upokojenie pomerov na pohraničí a urobila nevyhnutné opatrenia na zastavenie incidentov, útokov a prepadov za demarkačnou čiarou, čo však Imrédyho vláda nielen neakceptovala, ale tieto podvratné akcie naopak podnecovala, čím utvárala nové a nové ohniská napätia. Ako sme už uviedli, rokovanie československo-maďarskej komisie začalo vo veľmi nepokojnej atmosfére, za absencie dôvery a za vzájomného obviňovania a útokov. Nepriateľský postoj maďarskej politiky voči druhej republike sa v kruhoch československých vládnych činiteľov nepripisoval ani tak maďarskej vláde, ako skôr jej neschopnosti byť pánom situácie a ústupkom, ktoré musela robiť krajnej pravici a v dôsledku toho údajne Imrédyho vláda nebola schopná zamedziť prehmaty a udržať na uzde vojenskú i civilnú správu na obsadenom území.[52] Tento československý pohľad nesprávne odhadol situáciu, pretože v pozadí pokračujúcej protičeskoslovenskej politiky stáli najvyšší vládni činitelia maďarského štátu.

Maďarská politika v podstate nemala záujem na upokojení a normalizovaní vzťahov s okypteným československým štátom. Preto od začiatku prácu v komisii komplikovala a preťahovala. Tempo urýchlila len vtedy, keď to zodpovedalo a vyhovovalo maďarským záujmom. Podobne ako pri rozhovoroch v Komárne, maďarská delegácia nechcela rokovať, ale diktovať. Československá delegácia dennodenne musela zvádzať ostré diplomatické súboje s členmi maďarskej delegácie, hoci často išlo o bezvýznamné veci. Maďarská strana sa v komisii riadila zásadami a metódami, ktoré uplatňovalo Nemecko pri určovaní novej nemecko-československej hranice, pričom si nechcela uvedomiť, že jej situácia je iná a chýba jej mocenské postavenie. Z celkovej taktiky Imrédyho vlády sa dá usúdiť, že pri praktickej aplikácii záverov viedenskej arbitráže sa usilovala o to, aby ešte viac sťažila situáciu druhej republiky. Markantne to vystúpilo do popredia, najmä pri riešení hospodárskych a dopravných otá-

---

[52] Tamže, Kabinet vecný, krab. 44. Výklad I. Krnu novinárom 13. 1. 1939 a 24. 2. 1939.

zok, pri ktorých maďarská politika odmietala akékoľvek ústupky, hoci sa to priečilo záverom viedenského protokolu. Maďarská vláda si pritom bola vedomá, že prekračuje určené medze. Preto P. Teleki, vedúci maďarskej delegácie, inštruoval ostatných členov, aby pri hospodárskych, dopravných a komunikačných požiadavkách československej vlády na jednej strane neustupovali a nerobili žiadne koncesie Československu, na druhej strane však žiadal, aby sa vyhli situácii, ktorá by donútila Maďarsko riešiť uvedené problémy za účasti veľmocí. Celkovo treba konštatovať, že obidve rokujúce strany sa usilovali riešiť všetky problémy iba v kompetencii obidvoch vlád a vyhýbali sa predniesť sporné otázky pred arbitrov, hoci sa tým často vyhrážali. Imrédyho vláda pri práci v komisii nezabudla ani na vrážanie klinu do česko-slovenských vzťahov a usilovala sa diferencovať medzi otázkami československého štátu ako celku a problémami Slovenska, pri ktorých maďarská delegácia za určitých podmienok bola ochotná zaujať zmierlivejšie stanovisko.[53]

Pri hodnotení činnosti všetkých štyroch komisií, hneď na prvý pohľad vystúpil fakt, že najväčšie ťažkosti sa vynorili v práci delimitačnej komisie. Je to logické, pretože sa v nej kumulovali všetky problémy a ich riešenie v podstatnej miere vplývalo na celkovú atmosféru i na prácu ostatných komisií. Hlavnou úlohou komisie bolo, aby hraničnú čiaru, ktorú arbitri vyznačili na mape, pretvorila v konkrétnych podmienkach na definitívnu hranicu. Prácu tejto komisie viedli P. Teleki za maďarskú a *Š. Janšák* za československú stranu. Prvé problémy vznikli už hneď na začiatku, keď sa určovali kritériá pre novú hranicu. Maďarská delegácia vnútila československej dve zásady, z ktorých ťažili iba v Budapešti. V prvom prípade išlo o etnický princíp, ktorý sa aplikoval na základe štatistík z roku 1910, čo prirodzene vyvolalo pro-

[53] OL, Küm. pol. 1938–7–magyar–cseh tárgyalások a bécsi döntés alapján. Schôdza maďarskej delegácie 7. 11. 1938 v Budapešti; ŠÚA-SSR. Pozostalosť Ing. Š. Janšáka, krab. 1. Správa o práci delimitačnej komisie, vypracovaná 2. 3. 1939.

testy československej delegácie. V druhom prípade Maďarsko presadilo zásadu, aby sa hranica tiahla zhodne s katastrálnou hranicou pohraničných obcí. Tým sa maďarskej delegácii podarilo posunúť hranicu o niečo vyššie od čiary, ktorú určili arbitri na mape. Československo tým strácalo celkovo 20 000 ha územia.[54] Okrem toho katastrálny princíp určenia hranice úplne ignoroval topografické a dopravné aspekty, na čo v polovici novembra 1938 československú delegáciu upozornili z Prahy a žiadali, aby sa pri rokovaní brali do úvahy aj hospodárske a dopravné aspekty.[55] Navyše pri aplikácii katastrálnych hraníc sa vynoril aj ďalší problém. Maďarská delegácia vyhlásila, že neuznáva nové katastrálne obce, ktoré vznikli v Československu v rokoch 1918–1920. Tým boli ohrozené niektoré pohraničné kolónie, ktoré československá administratíva vyčlenila z katastrov susedných maďarských obcí.[56]

Československá delegácia sa ani v jednom, ani v druhom prípade nepresadila. Radšej ustúpila, než by mala opäť ísť pred arbitrov. Československo zvolilo inú taktiku. Usilovalo sa v priebehu ďalšieho rokovania získať územnú kompenzáciu na inom úseku. Keď to narazilo na radikálny odpor maďarskej strany, vedúci československej delegácie sa pokúsil použiť ďalší tromf a pohrozil, že Československo bude akceptovať jedine hraničnú čiaru označenú arbitrami, ktorá je pre republiku výhodnejšia než hranica na základe obecných katastrov. V dôsledku týchto nezhôd koncom roku 1938 nastalo v delimitačnej komisii napätie a rokovanie sa ocitlo na mŕtvom bode. Teleki opäť hrozil, že Maďarsko bude hľadať zadosťučinenie u arbitrov. Š. Janšák po konzultácii s ústrednou a autonómnou vládou dospel k záveru, že československá strana nemá vyhliadky na úspech, pretože v tomto smere nemôže očakávať žiadnu pomoc od Nemecka a Talianska a na

[54] Tamže.
[55] AFMZV, Právna sekcia, krab. 60, f.11, č. 160.906. Pro domo. Záznam z 15. 11. 1938.
[56] ŠÚA-SSR, Pozostalosť Ing. Š. Janšáka, krab. 2. Správa o práci delimitačnej komisie, vypracovaná 2. 3. 1939.

začiatku rokovania delimitačnej komisie československá delegácia sa nestavala proti princípu katastrálnych hraníc. Tak sa stalo, že v záujme pokračovania rokovania s Maďarskom v poslednej etape rozhovorov československá delegácia už tento problém neforsírovala.[57] Jediný ústupok, ktorý sa podarilo československej delegácii dosiahnuť, bolo to, že sa v niektorých prípadoch pri určovaní budúcej hranice brali do úvahy aj hospodárske a komunikačné aspekty. Súčasne však treba pripomenúť, že sa to týkalo iba menej dôležitých úsekov. Napriek tomu, najmä Teleki neustále zdôrazňoval prvotnosť etnického princípu, najmä keď to bolo Maďarsku výhodné, pripustil aj uplatnenie iných kritérií. V tejto súvislosti sa vynorila otázka výmeny niektorých obcí, ktoré ležali za hraničnou čiarou. Keďže na výmene mali záujem obidve rokujúce strany, vznikli v tomto smere aj konkrétne návrhy. Maďarská vláda predložila 24. novembra 1938 svoj návrh na výmenu určitých obcí, podľa ktorého bola ochotná prepustiť niektoré dediny v okolí Šurian a Komjatíc za dediny na východnom Slovensku, a to pri Jelšave a Rožňave. Z hľadiska Československa tento návrh nebol výhodný, pretože poskytoval príliš jednostranné výhody Maďarsku. Imrédyho vláda ponúkala 5 obcí so 16 000 obyvateľmi, ktoré v dôsledku viedenskej hranice pripadli k Maďarsku, ale žiadala za ne 29 obcí s 26 000 obyvateľmi, pričom bolo zjavné, že maďarskej strane išlo predovšetkým o získanie dedín v okolí Rožňavy a Jelšavy, ktoré boli bohaté na železnú rudu a magnezit. Aj keď Tisova vláda tento návrh neprijala, rokovanie pokračovalo a uvažovalo sa o ďalších variantoch výmeny. Československá strana pri výmene kládla dôraz, aby získala späť slovenské obce na západnom Slovensku v úrodnej oblasti, čo by zároveň znamenalo aj hospodársky prínos. Konečná dohoda o výmene obcí medzi Československom a Maďarskom sa do-

---

[57] Tamže; AFMZV, Kabinet vecný, krab. 46. Rokovanie s Maďarskom r. 1939, č. 17739/II–1/1938, Budapešť 28. 1. 1939; OL, Minisztertanácsi jegyzőkönyvek 1939. Zasadnutie ministerskej rady 4. 2. 1939. ÚHV SAV, zbierka mikrofilmov č. 51 RH.

siahla až začiatkom marca 1939, s ktorou československá strana prejavila uspokojenie, pretože zodpovedala jej zámerom. Na základe tejto výmeny Československo získalo celkovo 32 570 ha územia so 14 986 obyvateľmi, zatiaľ čo Maďarsku prepustilo 30 352 ha územia s 15 591 obyvateľmi. Československá delegácia uvádzala, že za odstúpené dediny pri Košiciach a Rožňave, ktoré v dôsledku viedenskej arbitráže mali narušené spojenie a boli hospodársky slabé, republika získala obce a kolónie na západnom Slovensku v úrodnom kraji.[58]

Aj právna komisia zápasila od začiatku s mnohými vážnymi problémami. Jej činnosť vyplývala z 3. článku viedenského protokolu, ktorý ukladal Československu záväzok odstúpiť územie „v riadnom stave". V skutočnosti jej kompetencia bola omnoho širšia a spočívala v právnom zabezpečení majetkov a občanov českej a slovenskej národnosti na okupovanom území. Pokiaľ išlo o interpretáciu otázky odstúpenia územia „v riadnom stave", československá delegácia odmietla maďarské stanovisko, ktoré chcelo verne napodobovať nemecké metódy v západnej časti republiky. Československá strana argumentovala, že v Čechách o všetkom rozhodoval výbor vyslancov, kým v prípade slovenského územia ide o aplikáciu viedenského rozhodnutia. To znamená, že ide o vypracovanie spoločného postoja na otázku, ako sa má realizovať evakuácia územia alebo konkrétne, čo tam treba ponechať na normálnu činnosť štátnej správy. K uspokojivému výsledku sa dospelo až potom, keď československá delegácia pohrozila, že celý problém predloží arbitrážnym veľmociam. Maďarskej delegácii neostalo iné východisko, ako ustúpiť a zaujať zmierlivejšie stanovisko.[59]

---

[58] AFMZV, Právna sekcia, krab. 65, f. 6, č. 171.071. Odpoveď slovenskej vlády na maďarskú nótu z 24. 11. 1938, datované 28. 11. 1938; Tamže, Právna sekcia, krab. 65, f. 4, č. 163.255. Správa o otázke výmeny obcí, Bratislava 17. 11. 1938; ŠÚA-SSR, Pozostalosť Ing. Š. Janšáka, krab. 2. Správa z Budapešti 28. 11. 1938.
[59] AFMZV, Právna sekcia, krab. 65, f.12, č. 169.680/38. Správa č. XII z 29. 11. 1938; OL, Küm. pol. 1938–7–magyar–cseh tárgyalások a bécsi döntés alapján. Správa z 28. 11. 1938.

Maďarská delegácia navrhla, aby sa komisia zaoberala aj otázkou amnestie. Maďarskej vláde veľmi záležalo, aby čo najskôr došlo k oslobodeniu 350 teroristov, ktorí boli uväznení v Ilave. Československá strana sa k maďarskému návrhu nestavala negatívne. Celý problém bol rýchlo uzavretý a koncom roku 1938 bola podpísaná československo-maďarská dohoda o politickej amnestii.[60]

Vzhľadom na zložitú a napätú situáciu, ktorá sa utvorila v otázke kolonistov, československá delegácia žiadala, aby sa v rámci právnej komisie utvorila osobitná sťažnostná komisia. Maďarská strana nemala proti tomu námietky, pretože jej činnosť chcela využiť aj v prospech seba a cez ňu sa usilovala zamedziť vyhosteniu príslušníkov maďarskej menšiny z územia Slovenska. Československá delegácia ťažisko činnosti tejto komisie videla v riešení otázky kolonistov a ich majetkov na právnom základe. Ako sme už uviedli, po zmene maďarského postoja v decembri 1938, práca tejto komisie postupne napredovala. Raz zasadala v Budapešti, druhýkrát v Bratislave a vo februári 1939 dospela k vypracovaniu spoločnej dohody o kolonistoch.[61]

Hospodárska komisia sa zaoberala viacerými závažnými problémami, ktoré súviseli so 6. článkom viedenského protokolu. Pri rokovaní o hospodárskych otázkach si maďarská politika zvolila osobitnú taktiku. Na jednej strane prejavovala záujem o hospodársku spoluprácu, súhlasila s modifikovaním protokolu o hospodárskej spolupráci z 22. 12. 1937, čo bolo nevyhnutné vzhľadom na zmenené hospodárske pomery druhej republiky, na druhej strane pokiaľ mohla sabotovala viedenský protokol, ktorý ukladal Maďarsku, aby v dohode s československou vládou riešilo ťažkosti hospodárskeho a dopravného charakteru, ktoré vzniknú pre republiku v dôsledku odstúpenia územia a ur-

---

[60] AFMZV, Právna sekcia, krab. 65, f.12, č. 175.358/VI. Správa č. XV z 10. 12. 1938; Tamže, Právna sekcia, krab. 65, f.12, č. 1187. Správa č. XVII z 21. 12. 1938.
[61] AFMZV, Právna sekcia, krab. 65, f.12. Správa č. XI, XIII, XV, XVI a XVII; Tamže, Kabinet vecný, krab. 46. Rokovanie s Maďarskom r. 1938, č. 161.415/VI–4/38. Správa z Budapešti z 15. 11. 1938.

čenia novej hranice.[62] Československá delegácia, apelujúc na 6. článok viedenského protokolu, žiadala, aby maďarská vláda umožnila železničné spojenie na východ od Košíc a železničný kontakt, ktorý bol prerušený na malom úseku na hranici Zakarpatskej Ukrajiny s Rumunskom, pričom československá strana v prvom prípade navrhovala a ponúkala náhradné územie a v druhom prípade uvoľnenie železničnej trate medzi Maďarskom a Mukačevom, ktoré pripadlo Československu. Maďarsko v oboch prípadoch tvrdošijne vzdorovalo a nebolo ochotné ustúpiť. Keď táto otázka prišla na pretras na spoločnom zasadnutí delimitačnej a hospodárskej komisie 24. novembra 1938, Teleki z pozície vedúceho celej maďarskej delegácie vyhlásil, že Maďarsko je proti tomu, aby sa vymieňali dediny na úkor etnického princípu a vyslovil požiadavku, aby sa dopravné potreby podriadili etnickej zásade.[63] Podobná situácia sa opakovala aj na iných úsekoch. Keď v dôsledku novej hranice niektoré dediny južného Slovenska boli odrezané od okolitého sveta, maďarské orgány odmietli žiadosť Československa dopravovať najnutnejšie tovary a udržiavať zásobovanie cez nové maďarské teritórium.[64] Nebolo pochýb, že maďarská politika svojou neústupčivosťou chcela čo najviac sťažiť hospodársku, dopravnú a politickú situáciu na Slovensku, aby potom apelovala na veľmoci na „nutnosť" ďalších hraničných úprav. Problémy, ktoré súviseli s obchodnou výmenou, sa postupne zlepšovali. Koncom roku 1938 došlo k dohode o výmene tovarov medzi obidvoma štátmi.[65]

Hoci v zmysle 5. článku viedenského protokolu sa mala utvoriť aj menšinová komisia, ktorá by riešila otázky právnej úpravy

[62] MD, I., s. 280–281, č. 140; AFMZV, Kabinet vecný, krab. 46. Rokovanie s Maďarskom r. 1938, č. 175.326/VI–8/38.

[63] OL, Küm. pol. 1938–7–magyar–cseh tárgyalások a bécsi döntés alapján. Správa z 24. 11. 1938; AFMZV, Kabinet vecný, krab. 44. Výklad I. Krnu novinárom 27. 1. 1939 a 24. 2. 1939.

[64] VIETOR, M.: c. d., s. 49.

[65] AFMZV, Kabinet vecný, krab. 44. Výklad I. Krnu novinárom 16. 12. 1938; Tamže, Právna sekcia, krab. 65, f.12. Správa č. XVII.

zostávajúcej časti maďarskej menšiny na Slovensku s osobitným zreteľom na Bratislavu a slovenskej menšiny na okupovanom území, do konca roku 1938 sa nekonštituovala. Maďarská vláda nemala záujem o jej činnosť, kým sa nepodarí uspokojivo vyriešiť situáciu na okupovanom území. Išlo jej najmä o násilné zníženie počtu slovenského obyvateľstva, v dôsledku čoho by nemusela poskytnúť slovenskej menšine národnostné práva. Preto v Budapešti zvolili taktiku odďaľovania a odsúvania rokovania o menšinovom probléme. V inštrukcii maďarskej vlády z 8. novembra 1938 sa priamo uvádzalo, že „komisia pre ochranu menšín sa zíde neskôr, keď to bude zodpovedať maďarským záujmom". Formálne maďarská strana svoju neochotu odôvodňovala tým, že činnosť menšinovej komisie je závislá od práce a napredovania delimitačnej a právnej komisie.[66]

Prirodzene, že vzhľadom na zhoršujúce sa postavenie slovenskej menšiny na okupovanom území, československá strana mala záujem na rýchlom konštituovaní menšinovej komisie. Preto už pri formovaní ostatných komisií zastávala názor, že aj menšinová komisia musí začať svoju prácu.[67] Najmä autonómna vláda na Slovensku vyvíjala úsilie, aby sa čo najskôr utvorila táto komisia a riešili sa národnostné práva slovenskej menšiny v Maďarsku. Z toho dôvodu 21. novembra 1938 ustanovila delegátov pre menšinovú komisiu a za jej predsedu vymenovala profesora *D. Rapanta.* Práca tejto komisie začala až začiatkom roku 1939, keď retorzné opatrenia Tisovej vlády a zásada reciprocity primäli Maďarsko k väčšiemu záujmu o prácu menšinovej komisie. Z Csákyových inštrukcií z 8. februára 1939, ktoré dal maďarskej delegácii, vyplýva, že maďarská strana musí dávať pozor, aby si v menšinových otázkach príliš nezväzovala ruky. Maďarskej politike išlo predovšetkým o to, aby sa v prípade dohody nevytvoril

---

[66] OL, Küm. pol. 1938–7–magyar–cseh tárgyalások a bécsi döntés alapján. Správa z 8. 11. 1938; AFMZV, Kabinet vecný, krab. 46. Rokovanie s Maďarskom r. 1938. Správa z 8. 11. 1938.
[67] AFMZV, Kabinet vecný, krab. 46. Rokovanie s Maďarskom. Správa z 8. 11. 1938.

precedens pre postavenie maďarskej menšiny v Juhoslávii a Rumunsku a na druhej strane maďarské ministerstvo zahraničných vecí striktne upozorňovalo, aby sa budúca dohoda v ničom nevzťahovala na dolnozemských Slovákov, ani na nemeckú menšinu v Maďarsku.[68] Ako vyplýva zo stanoviska slovenskej vlády, ktoré tlmočil Tiso Rapantovi, otázka maďarskej menšiny na Slovensku sa mala riešiť na princípe reciprocity. Uvažovalo sa o poskytnutí kultúrnej autonómie maďarskej menšine a so zriadením funkcie štátneho tajomníka pri slovenskej autonómnej vláde. Celkovo treba konštatovať, že práca komisie postupovala veľmi pomaly a do rozbitia republiky sa prakticky v menšinovej komisii nedosiahli markantnejšie výsledky.[69]

Na margo rokovaní štyroch komisií treba povedať, že ich najkritickejšia fáza sa prejavila v januári 1939. Na príčine bolo niekoľko faktorov. Po incidente v Slanci pri Košiciach 19. decembra 1938, ktorý vyvolala maďarská armáda útokom na obec Slanec a po krvavých udalostiach v Šuranoch vzniklo krajné napätie vo vzťahoch s Maďarskom. K ďalšiemu zhoršeniu celkovej atmosféry prispelo aj to, že Imrédyho vláda porušovala dohodu o kolonistoch a dohodu o amnestii, čo vyvolalo nepriaznivú reakciu najmä na Slovensku. V dôsledku týchto skutočností začiatkom roku 1939 Tisova vláda uvažovala, či nepreruší rokovanie s maďarskou vládou.[70] Poslednú bodku v otázke rokovania urobili však v Budapešti. Keď 6. januára 1939 vypukol nový hraničný incident v Mukačeve, z ktorého v Budapešti obviňovali Československo, maďarská vláda prerušila prácu v zmiešaných komisiách a vyhlásila, že kým sa nevysvetlia okolnosti mukačevského incidentu, Maďarsko nebude pokračovať v rokovaní s Československo-

---

[68] ŠÚA-SSR, SL, krab. 72, č. 801; DIMK, III, s. 442, č. 305.
[69] AFMZV, Právna sekcia, krab. 62, f. 7, bez č. Zasadnutie členov československej komisie v Bratislave 16. 1. 1939.
[70] AFMZV, Kabinet vecný, krab. 46. Rokovanie s Maďarskom r. 1939. Záznam zo zasadnutia predsedov československých komisií v Bratislave 7. 1. 1939.

venskom.[71] Jedine vďaka zmierlivému postoju československej vlády, ktorá mala záujem na finalizovaní rokovaní, sa podarilo zahladiť dôsledky mukačevského incidentu, a tým prekonať mŕtvy bod v rokovaní.[72] Koncom januára 1939 po osobnom zásahu M. Kobra u Csákyho a Telekiho sa podarilo obnoviť prerušené rokovanie. Vzhľadom na novú maďarskú taktiku, ktorú presadzoval Csáky a na neúnosnosť ďalšieho predlžovania rokovania, sa obidve vlády dohodli, že urýchlia rokovania v komisiách, aby sa čo najskôr dospelo k ich ukončeniu a k dosiahnutiu pozitívnych výsledkov. Tým sa zrýchlilo tempo rokovaní a po krátkom čase sa mohlo prikročiť k vypracovaniu záverečných protokolov.[73]

Začiatkom marca 1939 sa skončili delimitačné práce súvisiace s vyznačením definitívnej hranice a 7. marca 1939 bol podpísaný v Budapešti záverečný protokol, ktorý obidve vlády schválili.[74] Vo februári ukončila prácu aj právna komisia a 18. februára 1939 bola tak isto v Budapešti podpísaná dohoda o štátnom občianstve, opcii a kolonistoch.[75]

[71] ŠÚA-SSR, ÚPV, krab. 14, č. 520. Správa o maďarskej nóte z 9. 1. 1939; DIMK, III, s. 312–313, č. 191, s. 314–315, č. 193, s. 326–328, č. 204.
[72] AFMZV, Kabinet vecný, krab. 46. Rokovanie s Maďarskom r. 1939. Záznam Krno-Bobrik 11. 1. 1939; Tamže, Kabinet vecný, krab. 44. Výklad I. Krnu novinárom 13. 1. 1939 z 27. 1. 1939; OL, Küm. pol. 1939–7/7–196, Praha 8. 1. 1939.
[73] AFMZV, Kabinet vecný, krab. 46. Rokovanie s Maďarskom r. 1939, č. 17739/ II–1/39, Budapešť 28. 1. 1939; Tamže, Kabinet vecný, krab. 46. Rokovanie s Maďarskom r. 1939, č. 17739. Rozhovor Fíša–Sebesztényi 30. 1. 1939 v Budapešti.
[74] ŠÚA-SSR, Pozostalosť Ing. Š. Janšáka, krab. 1. Záverečný protokol o prácach delimitačnej komisie podpísaný v Budapešti 7. 3. 1939.
[75] AFMZV, Kabinet vecný, krab. 46. Rokovanie s Maďarskom r. 1939. Správa z Budapešti 18. 2. 1939; Tamže, Kabinet vecný, krab. 44. Výklad I. Krnu novinárom 24. 2. 1939.

3. Maďarská politika v čase rozbitia republiky

Maďarská politika s veľkým napätím sledovala politický vývin posledných mesiacov druhej republiky a robila všetko, aby svojím dielom prispela k definitívnej dezintegrácii československého štátu a aktívne sa podieľala pri jeho likvidovaní. Pre druhú Imrédyho vládu boli rozhodujúce januárové rokovania I. Csákyho v Nemecku, z ktorých maďarská politika vyvodila záver, že nacistické Nemecko v dohľadnom čase zúčtuje s okyptenou druhou republikou. Pritom v Berlíne kládli dôraz nie na priamy vojenský zásah, ale na rozklad pomocou vnútorných excentrických síl. Hitler nezasvätil maďarskú vládu do svojich plánov detailnejšie, ani neurčil čas, keď Nemecko spustí celú akciu. Na upokojenie maďarských vládnych kruhov však uviedol, že po opustení etnického princípu chce riešiť otázku československého územia za účasti Maďarska a Poľska. Súčasne však žiadal, aby Maďarsko ohľadne československej politiky všetko konzultovalo s Berlínom a neriešilo problém revízie na bilaterálnom základe. Nech Maďarsko trpezlivo vyčká, keď celý problém „dozreje" na globálne riešenie.[76] Pod vplyvom berlínskych rokovaní maďarská vláda pritlmila predtým nafúknutú otázku mukačevského incidentu, súhlasila s československým návrhom o posilnení vojenských jednotiek na oboch stranách demarkačnej čiary s cieľom zabrániť pohraničné incidenty maďarských diverzačných skupín a vo februári 1939 odmietla poskytnúť vojenskú pomoc pri pokusoch o vyvolanie revolty v maďarských pohraničných dedinách medzi Vráblami a Nitrou.[77]

Medzitým v polovici februára 1939 došlo v Maďarsku k vládnej kríze. Ani druhá Imrédyho vláda nesplnila očakávanie vládnej garnitúry. Väčšia servilnosť a pripútanosť k nacistickému Nemecku nepriniesli ďalší úspech na poli revízie. Najostrejšia kriti-

---

[76] A. Wilhelmstrasse..., s. 342–350, č. 176 a 177; DIMK, III, s. 355–356, č. 230.
[77] OL, Küm. res. pol. 1939–65–127. Správa maďarského generálneho štátu, Budapešť 16. 2. 1939; DIMK, III, s. 330–331, č. 207.

ka proti Imrédymu zaznievala v otázke Zakarpatskej Ukrajiny, do ktorej sa mu nepodarilo vniesť pozitívny obrat. Nový predseda vlády P. Teleki, ktorý priamo zasahoval a viedol zahraničnú politiku, sa usiloval presadiť nové prvky do zahraničnopolitickej línie štátu. Predovšetkým chcel zmierniť závislosť maďarskej politiky od Nemecka. Uvedomoval si totiž, že po rozbití československého štátu sa nacistické Nemecko stane suverénnym pánom Podunajska, a tým priamo ohrozí mocenské záujmy Maďarska. Východisko zo situácie videl v užšej spolupráci s Talianskom, v udržiavaní dobrých kontaktov so Západom a najmä v spoločnom postupe s Poľskom, čím chcel paralyzovať nemecký tlak do strejnej Európy.[78]

Pokiaľ išlo o otázku revízie, v Telekiho politike okrem akcentovania „historických" nárokov na východnú časť republiky významné miesto zaujímalo i strategické posilnenie Maďarska voči Nemecku, čo sa najmarkantnejšie prejavilo pri plánoch so Zakarpatskou Ukrajinou, ktorá mala zohrať dôležitú úlohu pri utvorení maďarsko-poľskej hranice a pri obrane spoločných maďarsko-poľských záujmov v tejto oblasti. V porovnaní s mníchovským obdobím maďarská politika si plne uvedomovala, že Hitler opustil etnický princíp a pri likvidácii republiky rozhodujúcu úlohu budú mať výlučne mocenské faktory. Preto sa maďarská politika rýchlo prispôsobila novej situácii. Neakcentovala už otázku plebiscitu a popri historickom princípe vysúvala do popredia najmä mocenský faktor. Na rozdiel od Imrédyho sa Teleki viac usiloval o samostatnejší prístup k českolovenskej politike a Maďarsko nemalo pasívne čakať, kým Hitler rozhodne podľa vlastnej ľubovôle o československom teritóriu. Preto sa snažil aktívnejšie zasahovať do procesu rozbíjania československého štátu, aby z jeho likvidácie neťažilo iba Nemecko.

Pre Telekiho vládu kľúčom k riešeniu československého problému aj ďalej ostávala Zakarpatská Ukrajina. Táto oblasť sa maďarskej politike zdala najslabším miestom, kde možno rýchlo

---

[78] ÁDÁM, M.: Magyarország és a kisantant..., s. 360.

dosiahnuť úspech a navyše v Budapešti boli presvedčení, že ovládnutie Zakarpatskej Ukrajiny môže podstatne ovplyvniť aj ďalší osud Slovenska a dá sa veľmi citlivo zraniť jeho územná celistvosť. Preto s postupným narastaním česko-slovenského napätia a s množiacimi sa správami z Berlína o skorom konci československého štátu, maďarská vláda sa pokúsila o samostatnejšiu akciu v otázke Zakarpatskej Ukrajiny. Začiatkom marca 1939 opäť zdôvodňovala v Berlíne nevyhnutnosť odtrhnutia najvýchodnejšej časti republiky a svoje nároky opodstatňovala geografickými a hospodárskymi dôvodmi a vodohospodárskou jednotou Zakarpatskej Ukrajiny so severovýchodnou časťou Maďarska. Tak isto v rovnakom čase sa Telekiho vláda pokúšala o riešenie otázky Zakarpatskej Ukrajiny aj v Prahe, kde presvedčovala československú vládu, že iba tento problém stojí v ceste normalizovania vzájomných vzťahov. Za prepustenie Zakarpatskej Ukrajiny bola maďarská vláda ochotná poskytnúť kompenzáciu.[79] Aj keď táto sondáž nenašla pozitívny ohlas ani v Berlíne, ani v Prahe, Teleki sa nevzdal plánu pripojenia Zakarpatskej Ukrajiny k Maďarsku. V obave, že Maďarsko premešká priaznivý moment, primäl maďarskú politiku k tomu, že sa rozhodla uskutočniť svoj plán aj bez prípadného súhlasu Nemecka. Teleki 10. marca 1939 nechal schváliť plán okupácie Zakarpatskej Ukrajiny aj ministerskou radou a samým M. Horthym. Podľa neho súčasne s nástupom nacistickej armády proti republike, resp. v prípade vyhlásenia slovenského štátu maďarské vojská mali hneď obsadiť územie Zakarpatskej Ukrajiny.[80]

Nezávisle od toho, že udalosti sa neuberali predpokladaným smerom, rozhodnutie Telekiho prezrádzalo, akú strategickú dôležitosť pripisovali v Budapešti Zakarpatskej Ukrajine. I. Csáky už v polovici februára 1939 odkázal do Varšavy, že význam Zakarpatskej Ukrajiny pre Maďarsko vystupuje do popredia o to viac, že politické udalosti na Slovensku sa nevyvíjajú žiadúcim sme-

[79] Tamže, s. 363–364; DIMK, III, s. 526, č. 390, s. 527, poznámka č. 25.
[80] JUHÁSZ, GY.: Magyarország külpolitikája 1919–1945. Budapest 1975, s. 205.

rom, pretože „Slováci sa čoraz viac oeitajú pod cudzím vplyvom".[81] Ešte väčší alarmujúci tón sa prejavoval v apele maďarskej vlády o pomoc Talianska, aby intervenovalo v Berlíne v prospech maďarských záujmov. Maďarský minister zahraničných vecí 12. marca 1939 upozorňoval taliansku vládu, že ak by sa Slovensko pod akoukoľvek formou ocitlo vo sfére nemeckej ríše, pre Maďarsko to bude znamenať vážne nebezpečenstvo, na ktoré by sa nemohlo dívať so založenými rukami. Takéto rozhodnutie Nemecka – argumentoval Csáky – by viedlo k nepokojom slovenskej a nemeckej menšiny v Maďarsku a k posilneniu sebavedomia slovenskej vlády v takej miere, že by nerešpektovala viedenské rozhodnutie o hraniciach. Preto bez ohľadu na riziko, ktoré z toho plynie, Maďarsko by vyrovnalo narušenú mocenskú nerovnováhu okamžitým obsadením Zakarpatskej Ukrajiny.[82]

Popri Zakarpatskej Ukrajine maďarskú politiku veľmi znepokojovali aj pomery na Slovensku. Všetky Csákyho pokusy o zlepšenie vzťahov s Tisovou vládou po obnovení rokovaní československo-maďarských komisií i po prihliadnutí z maďarskej strany na „slovenskú citlivosť" neviedli k pozitívnemu výsledku. To malo za následok, že maďarská vládna politika s blížiacim sa rozuzlením československých udalostí sa zbavila možností ovplyvniť politický vývin na Slovensku v promaďarskom smere. V Budapešti pozorne sledovali najmä narastanie slovenského separatizmu a prehlbujúce sa rozpory medzi Prahou a Bratislavou. Na sklonku februára a na začiatku marca 1939 už maďarskí oficiálni činitelia boli presvedčení, že česko-slovenský rozkol, ktorý v krátkom čase vyústi do rozpadu československej štátnosti, je nezmieriteľný. Csáky dokonca udával, že vyvrcholenie česko-slovenskej krízy treba očakávať medzi 10. až 15. marcom 1939.[83] Čo však najviac znepokojovalo Telekiho vládu, bol smer slovenské-

[81] DIMK, III, s. 488, č. 351.
[82] Tamže, s. 551–552, č. 414.
[83] OL, Küm. pol. 1939–7/1–1183, Praha 1. 3. 1939; Tamže, Küm. res. pol. 1939–65–182, Bratislava 3. 3. 1939; Tamže, Küm. pol. 1939–7/43–1240, Praha 13. 3. 1939; HOENSCH, J. K.: Die Slowakei und Hitlers Ostpolitik... s. 326.

ho separatizmu, ktorý sa jednoznačne orientoval na Nemecko. Od vyhlásenia ľudáckej autonómie maďarská politika so stále väčším znepokojením registrovala silnejúcu spoluprácu vodcov slovenského separatizmu s Berlínom, ktorá nebola v súlade s maďarským riešením „slovenskej otázky". Preto v Budapešti vyvolala veľkú nervozitu Tukova, Ďurčanského a Pružinského návšteva v Nemecku vo februári 1939, ktorá sa interpretovala ako otvorené úsilie o utvorenie separátneho slovenského štátu pod ochranou Nemecka a s výraznou protimaďarskou tendenciou. Po berlínskej ceste Ďurčanského a Pružinského maďarský vyslanec hlásil do Budapešti, že slovenskí politici sa veľmi nepriaznivo vyjadrovali o maďarskej politike a radikálne odmietli plány na pričlenenie Slovenska k Maďarsku. Krátko na to v Maďarsku kolovali správy, že Slovensko hneď po rozpade československého štátu vstúpi do colnej únie s Nemeckom, čím sa znepokojenie v maďarských vládnych kruhoch ešte zvýšilo.[84] Najväčšie starosti Talekiho vláde spôsobil sám Berlín, ktorý so slovenským separatizmom nielenže sympatizoval, ale ho priamo živil a podnecoval k ďalšej aktivite. V Budapešti si nevedeli vysvetliť, čo tým Nemecko sleduje a aký to má zmysel, že nemecká politika sa usiluje ovplyvniť aj vnútropolitický život na Slovensku a využíva slovenský separatizmus na vlastné zahraničné ciele.[85] Telekiho vláde pripadla ťažká úloha vyjasniť si postoj nacistickej politiky jednak k slovenskému separatizmu a jednak k budúcnosti Slovenska. Bolo to potrebné o to viac, že republika rapídne spela k agónii.

Správy o budúcnosti Slovenska, ktoré maďarská diplomacia veľmi sústredene zbierala od nacistických politických činiteľov až do začatia likvidácie československého štátu, neboli jednoznačné. Celkovo do Budapešti prichádzali správy o trojakých možnostiach riešenia „slovenskej otázky": utvorenie samostat-

---

[84] DIMK, III, s. 530–531, č. 396, s. 550, č. 411.
[85] DIMK, III, s. 531, č. 396, s. 551–552, č. 414, s. 304, č. 180; Magyar Szemle 1939, apríl, s. 378.

ného slovenského štátu pod patronátom Nemecka; súhlas Hitlera s pripojením Slovenska k Maďarsku a rozdelenie slovenského teritória na tri časti: západná po Váh by pripadla Nemecku, severný pás by okupovalo Poľsko a zbytok obsadilo Maďarsko. Oficiálne nemecká vláda sa na maďarské sondáže vždy odvolávala na závery januárového rokovania Csákyho s Hitlerom, ktoré vyznievali v tom zmysle, aby Maďarsko nič nepodniklo a vyčkalo čas, kým Hitler nepristúpi k definitívnemu „vyriešeniu" československej otázky.[86] Vzhľadom na to, že v nacistických kruhoch nevládol na Slovensko jednotný názor, maďarská vládna politika sa usilovala ovplyvniť nemecký postoj. Išlo jej o to, aby eliminovala úsilie slovenských separatistov a presvedčila Berlín, že hospodársky zaostalé Slovensko ako štát nie je životaschopné a bude pre Nemecko znamenať len príťaž. Maďarská politika navrhovala alternatívu veľkého Maďarska, ktoré – ako tvrdil D. Sztójay – bude oporou nemeckej politiky v Podunajsku. Medzi trvalé argumenty Budapešti patrili aj Hitlerove slová, podľa ktorých Nemecko nemá územné požiadavky za Karpatami a jeho vyhlásenie pred Csákym v januári 1939, že Nemecko pristúpi k riešeniu československého problému spoločne a v plnej zhode s Maďarskom a Poľskom. Celkovo sa v maďarských politických kruhoch verilo, že Nemecko to so slovenskou samostatnosťou nemyslí vážne a celé rozvírenie slovenskej otázky je iba taktikou nacistov pri rozbíjaní republiky a keď otázka stratí na svojej aktuálnosti, Berlín ju opustí.[87]

Zo všetkých troch alternatív riešenia problému Slovenska bolo z maďarského hľadiska najhoršie konštituovanie formálne samostatného slovenského štátu, ktorý by v skutočnosti predstavoval predĺženú ruku nemeckej politiky v strednej Európe, a tým by sa zmarili maďarské plány na pripojenie Slovenska k Maďar-

[86] DIMK, III, s. 343–345, č. 220, s. 438, č. 301, s. 519, č. 383, s. 450–451, č. 313.
[87] AAN-MSZ 6572, P III 66/tjn. Telegram č. 55 a 56, Budapešť 29. 3. 1939; DIMK, III, s. 507, č. 375; KOŹMIŃSKI, M.: Polska i Węgry przed drugą wojną światową (Październik 1938–Wrzesień 1939), Wrocław-Warszawa-Kraków 1970, s. 258.

sku. Politické dôsledky tohto kroku si maďarská vláda plne uvedomovala, a preto ešte v poslednej chvíli pred vyhlásením slovenského štátu alarmovala Taliansko, aby využilo všetok svoj vplyv v Berlíne na to, aby „sa Nemci nenechali zlákať Slovákmi na novú cestu, ktorá by mohla viesť k nevyspytateľnému dobrodružstvu".[88]

Hitler do poslednej chvíle tajil pred maďarskou politikou, ako si predstavuje rozbitie republiky a hoci predtým vyhlasoval, že pozve k deleniu aj Maďarsko a Poľsko, v marci 1939 už sám diktoval a správal sa ako suverénny arbiter československého územia. Po zásahu ústrednej vlády nacisti prikročili k priamym akciám na likvidovanie okypteného československého štátu. Keďže sa nacistické plány násilného rozbitia republiky mali navonok kryť vnútorným rozkladom a rozpadom, dôležité miesto tu Hitler prisúdil slovenskému separatizmu a jeho úsiliu o vytvorenie štátu. V skutočnosti myšlienka slovenského štátu v tej chvíli u Hitlera ani zďaleka nepredstavovala jeho naozajstný úmysel, ale skôr odrážala taktický krok nacistickej politiky, ktorý si vyžiadalo rozbitie republiky. Tak sa stalo, že 12. marca 1939 dal Hitler Telekiho vláde na vedomie, že sa rozhodol skoncovať s existenciou československého štátu. Maďarsku dal voľnú ruku, aby v priebehu 24 hodín obsadilo Zakarpatskú Ukrajinu. Slovensko malo byť zatiaľ ušetrené maďarského útoku. Tu mal vzniknúť slovenský štát, s ktorého dlhým trvaním sa však nerátalo, pretože – ako povedal Hitler – k riešeniu slovenskej otázky sa vráti neskôr.[89]

Telekiho vláda na jednej strane s uspokojením prijala dlho očakávané Hitlerovo rozhodnutie o Zakarpatskej Ukrajine a hneď podnikla v tomto smere patričné politické a vojenské kroky, na druhej strane sa s nevôľou stavala k nemeckému riešeniu

---

[88] DIMK, III, s. 551–552, č. 414.

[89] ĎURICA, M. S.: La Slovacchia e le sue relazioni politiche con la Germania 1938–1945. I. Dagli accordi di Monaco all'inizio della seconda guerra mondiale (ottobre 1938–settembre 1939). Padova 1964, 176–177, č. 39; DIMK, III, s. 551, č. 413.

slovenskej otázky. Napriek tomu, že 14. marca 1939 maďarská vláda pod vplyvom nemeckého mementa vyhlásila československému zástupcovi v Budapešti, že s veľkým záujmom sleduje vývin na Slovensku a „posledné udalosti pokladá za čisto vnútorné a nezamýšľa sa do nich miešať",[90] hľadala rôzne zámienky, aby utvorila novú situáciu, ktorá by jej umožnila zasiahnuť do formovania pomerov na Slovensku. Medzitým, čo maďarskí honvédi stáli na hraniciach a čakali na ďalšie rozkazy, I. Csáky 14. marca 1939 pri odovzdaní ultimatívnej nóty československej vláde vo veci vyprázdnenia Zakarpatskej Ukrajiny upozornil vyslanca M. Kobra, že ak by ustupujúca československá armáda zo Zakarpatskej Ukrajiny „zaútočila proti Slovákom, maďarská vláda by sa na to nemohla ľahostajne prizerať".[91] Na podozrivý pohyb maďarskej armády na slovenských hraniciach reagoval aj H. Göring, ktorý sa 15. marca dotazoval maďarského vyslanca Sztójayho, či sú pravdivé správy, že maďarské jednotky sa pripravujú k útoku na Bratislavu, čo maďarský vyslanec „prirodzene" dementoval. Podobné inštrukcie obdržal z Budapešti aj konzul v Bratislave, ktorý mal vyvrátiť správy o pohybe maďarských vojsk vo smere Sobrance a Humenné.[92]

Vyhlásením slovenského štátu Maďarsko bolo doslova zaskočené. Maďarský konzul v Bratislave nevedel ani ako má na to reagovať a vyžiadal si náhle inštrukcie z Budapešti.[93] Aj keď maďarské oficiálne kruhy i maďarská verejná mienka neskrývali svoje hlboké rozčarovanie a vytýkali Hitlerovi porušenie jeho dlhoročného sľubu,[94] Telekiho vláde nezostávalo nič iné ako veriť, že nová situácia na Slovensku je iba provizórium a teda ne-

---

[90] AFMZV, Kabinet vecný, krab. 73, bez č. Záznam telefonického rozhovoru I. Krno–P. Fíša, 14. 3. 1939.
[91] Tamže. Záznam telefonického rozhovoru s M. Kobrom v Budapešti 14. 3. 1939.
[92] OL, Küm. pol. 1939–7/7–18/1201/, Budapešť 15. 3. 1939; DIMK, III, s. 567, č. 440.
[93] DIMK, III, s. 555, č. 420.
[94] AAN-MSZ 6572, P III 66/tjn. Telegram č. 55 a 56, Budapešť 29. 3. 1939; AFMZV, ZÚ Budapešť, krab. 21, č. telegramu 18, Budapešť 11. 3. 1939.

znamená definitívne riešenie otázky Slovenska. Maďarská vláda hneď vyvíjala aktivitu v dvojakom smere: na jednej strane robila všetko, aby si Nemecko úplne nepodriadilo Slovensko, na druhej strane podnikala kroky, aby aj napriek formálnemu vyhláseniu slovenského štátu Maďarsko presadilo u Hitlera svoj pôvodný plán pripojenia Slovenska k Maďarsku. V snahe zmenšiť závislosť Slovenska od nacistického Nemecka Telekiho vláda už 15. marca 1939 uznala slovenský štát de jure, povýšila bratislavský konzulát na vyslanectvo a spolu s Poľskom uvažovala aj o poskytnutí hospodárskych koncesií slovenskej vláde.[95] Maďarský vyslanec rýchle uznanie slovenského štátu interpretoval v Berlíne v tom zmysle, že je to gesto Maďarska voči Slovákom a navyše vyhovenie žiadosti Hitlera, aby sa nedotklo Slovenska.[96] Oficiálne uznanie slovenského štátu vôbec neznamenalo, že sa Maďarsko zmierilo s daným stavom. Práve naopak, týmto krokom chcelo ovplyvniť slovenskú politiku a zachrániť ju pre seba. Obrátenie priateľskej tváre k Slovensku pokladali v Budapešti tým viac za žiadúce, že maďarská politika na Slovensku už nemohla rátať so žiadnou politickou silou, ani skupinou, ktorá by žiadala pripojenie Slovenska k Maďarsku.

Najväčší význam prikladala maďarská vláda akciám, ktoré mali presvedčiť Hitlera, že slovenský štát v takej podobe ako vznikol je pre Nemecko z každej stránky príťažou. Navyše maďarské oficiálne kruhy mali vedomosti, že medzi nacistami nevládol jednotný názor na budúcnosť Slovenska. Do Budapešti prichádzali správy, že OKW a Göring pokladajú slovenský štát len za krátke intermezzo, ktoré malo svoje opodstatnenie pri rozbíjaní československého štátu. Po skončení tohto procesu sú za to, aby Slovensko bolo pripojené k Maďarsku alebo rozdelené medzi Nemecko, Maďarsko a Poľsko.[97] Určitú nádej v maďarskej politike

---

[95] AAN-MSZ 5437. Telegram č. 46, Bratislava 15. 3. 1939; HOENSCH, J. K.: Die Slowakei und Hitlers Ostpolitik..., s. 327.

[96] DIMK, III, s. 583, č. 463.

[97] Tamže, s. 438, č. 301, s. 604–605, č. 487; KOŹMIŃSKI, M.: c. d., s. 258.

utvárala okolnosť, že Hitler odďaľoval podpísanie tzv. ochrannej zmluvy so Slovenskom, z čoho tak Teleki, ako aj Horthy usúdili, že Hitler ešte definitívne nerozhodol o osude Slovenska a teda ešte nie je všetko stratené. Dúfali, že len čo si Hitler uvedomí hospodársku zaostalosť Slovenska a územné okliештenie na západe i na východe, jeho osud bude spečatený. Csáky sa pred poľským vyslancom týmto názorom ani netajil a 16. marca 1939 vyhlásil, že „Nemci sú si vedomí, že Slovensko nemôže existovať ako samostatný štát a uvažujú o tom, či by nebolo lepšie odovzdať Slovensko od Váhu na juh Maďarsku než ho podržať pre seba".[98] V Budapešti tušili, že Hitler so Slovenskom taktizuje, avšak nepoznali pozadie jeho zámerov.

Hitler mal skutočne so Slovenskom svoje plány. Od začiatku roku 1939 nacistická politika naznačovala poľskej vláde, že ak by ustúpila v otázke koridoru a Gdańska, môže získať „kompenzáciu" na Slovensku. Túto otázku Ribbentrop nastolil aj v rozhovore s poľským vyslancom J. Lipským 21. marca 1939, keď hovoril o „slovenskej otázke" ako o území, o ktorom by sa obidve vlády mohli dohodnúť. O dva dni na to 23. marca síce Nemecko podpísalo „ochrannú zmluvu" so Slovenskom, ale to neprekážalo Hitlerovi, aby 25. marca neformuloval svoje stanovisko pre OKW, v ktorom vyhlásil, že sa necíti viazaný nemecko-slovenskou dohodou a „vo vhodnom čase sa jej zbaví a urobí Slovensko predmetom obchodu medzi ním, Poľskom a Maďarskom". Keďže poľská vláda vo svojom memorande odmietla rokovať o Gdańsku a koridore na základe územnej kompenzácie na úkor Slovenska,[99] Hitlerov postoj k budúcnosti Slovenska dostal inú podobu. V nacistickej politike prevládol názor, že Slovensko treba ponechať v nemeckej sfére a využiť jeho strategickú polohu ako bázu na obkľúčenie Poľska. Nebola náhoda, že práve v ča-

[98] HOENSCH, J. K.: Účasť Telekiho vlády na rozbití Československa (březen 1939). In: Československý časopis historický 1969/3, s. 366; KOŹMIŃSKI, M.: c. d., .s 244.
[99] HOENSCH, J, K.: Der ungarische Revisionismus…, s. 279; KOŹMIŃSKI, M.: c. d., s. 249; BATOWSKI, H.: Europa zmierza ku przepaści. Poznań 1977, s. 265.

se, keď Hitler 3. apríla 1939 vydal nariadenie o príprave „Fall Weiss", plánu na prepadnutie Poľska, nemecká vláda rozhodla o povýšení bratislavského konzulátu na diplomatické zastupiteľstvo, čo prakticky znamenalo, že rátalo s perspektívou existencie vazalského slovenského štátu.

V maďarskej politike významné miesto vždy zaujímala otázka pripojenia východného Slovenska k Maďarsku. Nebolo to ináč ani v marci 1939. Telekiho vláda, využijúc situáciu, keď sa ešte v Berlíne definitívne nerozhodlo, čo bude so Slovenskom a keď Hitler odďaľoval podpísanie „ochrannej zmluvy" so Slovenskom, rozohrala druhú akciu na východe. Pristúpila k realizácii staršieho plánu maďarskej politiky, ktorý mal pod zámienkou osídlenia ukrajinského obyvateľstva v severnej časti východného Slovenska, geopolitickej a hospodárskej jednoty medzi Zakarpatskou Ukrajinou a východným Slovenskom a určitej etnickej blízkosti obyvateľstva tejto oblasti, zdôvodňovať nárok Maďarska nielen na Zakarpatskú Ukrajinu, ale aj na celé východné Slovensko až po Tatry. S týmto plánom maďarské vládne kruhy už dlhšie kalkulovali a mnoho si od neho sľubovali. V januári 1939 I. Csáky v ministerskej rade konštatoval, že „ak by sme v priebehu vojenskej akcie (myslelo sa na Zakarpatskú Ukrajinu –L. D.) obsadili východné Slovensko, spätný ústup by už nebol možný".[100] Z toho logicky vyplývalo, že maďarská armáda sa hneď po obsadení Zakarpatskej Ukrajiny pokúsi okupovať slovenské územie na západ až pokiaľ nenarazí na odpor, resp. nevyvolá medzinárodné komplikácie. V Budapešti rátali s tým, že Nemecko proti rýchlej akcii, ktorou by maďarská armáda utvorila fait accompli, nebude protestovať a slovenskej vláde nezostane iné východisko ako sa zmieriť s novou situáciou.[101]

Maďarská vláda informovala o celej akcii aj Poľsko, pričom kalkulovala najmä s pomocou poľskej vlády pri pacifikovaní slo-

---

[100] OL, Minisztertanácsi jegyzőkönyvek 1939. Zasadnutie ministerskej rady 14. 1. 1939. ÚHV SAV, zbierka mikrofilmov, č. 51 RH.

[101] DIMK, IV, s. 95, č. 13.

venského obyvateľstva. I. Csáky 22. marca 1939, teda tesne pred začatím vojenskej operácie chcel využiť dobré kontakty medzi Beckom a Sidorom na to, aby poľský minister zahraničných vecí „upozornil Sidora, že prípadné rozšírenie maďarského vplyvu na Slovensko je spoločným maďarsko-poľským záujmom, vôbec nie je nepriateľsky zahrotené proti Slovensku a má len dočasný charakter". Takto pod zámienkou nemeckého nebezpečenstva maďarská vláda chcela zmierniť odpor zo slovenskej strany. Na ďalekosiahlosť celej akcie poukazuje fakt, že Csáky odkázal do Varšavy, aby Sidor prostredníctvom Becka určil svojho dôverného spolupracovníka na východnom Slovensku, ktorého by maďarská vláda poverila správou obsadeného územia.[102] Z maďarskej strany to malo byť akési gesto, ktorým by Telekiho vláda demonštrovala, že Slovákom chce poskytnúť autonómiu. Navyše rátala s tým, že takto sa jej podarí zlomiť odpor slovenského obyvateľstva na východe proti prenikaniu maďarskej armády a v neposlednej miere to malo poslúžiť maďarskej propagande pri získavaní promaďarských sympatií na ostatnej časti Slovenska. Celá táto vopred premyslená maďarská akcia sledovala, prirodzene, ďalekosiahlejší cieľ. V prvom rade maďarské vládne kruhy chceli dosiahnuť ďalšie okyptenie Slovenska, ktoré by spätne pôsobilo v dvojakom smere: jednak by posilnilo v nemeckej politike presvedčenie o hospodárskej i celkovej neschopnosti malého a okypteného Slovenska a jednak by prinútilo slovenskú vládu hľadať východisko v pripojení k maďarskému štátu.

K prvým zrážkam došlo už 15. marca 1939, keď maďarská vláda pod zámienkou presne nevymedzenej hranice medzi územím Slovenska a Zakarpatskej Ukrajiny, nutnosti obsadenia železničnej trate v údolí Uhu a celkových vojenských operácií, spojených s obsadzovaním zakarpatského územia, porušila určenú administratívnu hraničnú čiaru Slovenska. Z maďarskej strany to bola sondáž, ktorá mala zistiť, ako bude reagovať Nemecko na maďarské posunutie hranice na západ a či sa podarí slovenskú vlá-

---

[102] DIMK, III, s. 648, č. 528.

du postaviť pred fait accompli. Telekiho vláda celý problém postavila v Berlíne tak, ako by išlo iba o malú korektúru administratívnej hranice v šírke 10–20 km, ktorá je nevyhnutná kvôli ovládnutiu železnice v údolí Uhu a ktorá bola „umelo" vyznačená pred dvadsiatimi rokmi. I. Csáky 16. marca 1939 požiadal Ribbentropa, aby presvedčil slovenskú vládu o nevyhnutnosti tejto malej úpravy hranice a obrátil jej pozornosť na to, že po skončení vojenských akcií Maďarsko v dohode so slovenskou vládou určí definitívnu hranicu.[103] Celkovo v Berlíne akceptovali maďarské argumenty a vplývali na slovenskú vládu v smere jej upokojenia. Konkrétne Ribbentrop žiadal Bratislavu, aby nepodnikala proti Maďarsku žiadne protiakcie. Slovenská vláda toto nemecké odporučenie zobrala na vedomie, ale až potom, keď Hitler počas rokovania vo Viedni 17.–18. marca 1939 ubezpečil slovenskú stranu, že územie, ktoré obsadilo maďarské vojsko, zostane aj ďalej pod slovenskou správou.[104] V tom istom čase slovenské ministerstvo zahraničných vecí dalo na vedomie maďarskej vláde, že za hranicu medzi Slovenskom a Zakarpatskou Ukrajinou aj ďalej pokladá dovtedajšiu administratívnu hranicu, ktorá bola určená v dodatku Saint-Germainskej zmluvy.[105] Z celkového vývinu hraničného problému maďarská vláda vyvodila záver, že situácia je priaznivá a vhodná na to, aby sa Maďarsko rozhodlo pre väčšiu vojenskú akciu na východnom Slovensku. V Budapešti dúfali, že kým nie je zmluvne fixovaná nemecká ochrana nad Slovenskom, existuje možnosť ešte viac oklieštiť územie Slovenska. V tejto vojenskej aktivite smerom na západ podporovali Telekiho vládu aj široké domáce revizionistické a iredentistické kruhy, ktoré nástojčivo žiadali „návrat" východného Slovenska do lona svätoštefanskej koruny. Hneď ako prvé sa prihlásili ireden-

---

[103] OL, Küm. pol. 1939–65/7–1295, Budapešť 16. 3. 1939.
[104] HOENSCH, J. K.: Účasť Telekiho vlády..., s. 367; HRNKO, A.: Politický vývin a protifašistický odboj na Slovensku (1939–1941). In: Historické štúdie, Bratislava 1988, s. 38.
[105] OL, Küm. pol. 1939–65/7–1359. Bratislava 17. 3. 1939.

tistické spolky, ktoré 20. marca 1939 odovzdali vláde memorandum, kde operovali historickými, geopolitickými a inými argumentmi, ktorými sa malo zdôvodniť odtrhnutie celého východného Slovenska od ostatného slovenského etnika.[106] Medzitým, čo maďarský vyslanec D. Sztójay odovzdal 20. marca v Berlíne mapu s vymedzením maďarských nárokov na východnom Slovensku aj s rozdelením tamojších národnostných pomerov, medzi Horthym a Hitlerom došlo k výmene listov, v ktorých podľa všetkého Hitler súhlasil s územnými ústupkami na úkor Slovenska. Nasvedčovala tomu aj maďarská propaganda, ktorá tesne pred začatím maďarských vojenských operácií rozšírila správu, že Nemecko sa vzdalo Slovenska a Maďarsko má voľnú cestu až po rieku Váh.[107] Už 23. marca 1939 maďarská armáda zaútočila na východnom Slovensku v troch smeroch: od Veľkých Kapušian, od Užhorodu a od Malého Berezného a začala okupovať slovenské územie smerom na západ a prenikla do hĺbky 15–20 km po čiaru Stretava, Sobrance a Stakčín. Slovenská vláda prekvapená náhlym útokom Maďarska práve v deň podpísania „ochrannej zmluvy" s Nemeckom, ostro protestovala a žiadala Berlín o pomoc.[108] V Budapešti, v snahe zmierniť reakciu slovenskej vlády, zámerne bagatelizovali celú akciu. Csáky 23. marca odkázal do Bratislavy, že „maďarské vojsko nerobí žiadne vojenské operácie na východnom Slovensku. Pravdepodobne ide o miestne incidenty, ktoré vznikli z toho, že medzi Slovenskom a Rusinskom (Zakarpatskou Ukrajinou–L. D.) nikdy nebola určená hranica".[109] O deň neskôr maďarská vláda navrhovala utvoriť hranicu medzi územím Slovenska a Zakarpatskej Ukrajiny, čo slovenská vláda jednoznačne odmietla s odôvodne-

---

[106] OL, Küm. pol. 1939–65/7–1295. Memorandum rôznych iredentistických a revizionistických organizácií z 20. 3. 1939.
[107] AAN–MSZ 6572, P III 66/tjn. Telegram č. 55 a 56, Budapešť 29. 3. 1939; KOŹMIŃSKI, M.: c. d., s. 264; HOENSCH, J. K.: Účasť Telekiho vlády..., s. 368.
[108] HOENSCH, J. K.: Účasť Telekiho vlády..., s. 369.
[109] OL, Küm. pol. 1939–65/7–1439, Budapešť 23. 3. 1939.

ním, že líniu, kam prenikli maďarské jednotky nemôže vôbec pokladať za demarkačnú čiaru, pretože maďarské vojsko vpochodovalo na územie s bielou zástavou a letákmi rozširovalo správu, že obsadenie sa deje po dohode, čo úrady a obyvateľstvo uviedlo do omylu, a preto nekládlo odpor. Slovenská vláda trvala na pôvodnej administratívnej hranici a pohrozila, že zavolá na pomoc nemeckú armádu.[110] Reakcia Berlína šokovala slovenskú vládu. Nemecko nielenže nepostupovalo podľa 1. článku práve podpísanej „ochrannej zmluvy", kde sa zaviazalo brániť politickú nezávislosť a územnú celistvosť Slovenska, ale navyše zabránilo slovenskej vláde presunúť ťažké zbrane a muníciu z „ochrannej zóny" a použiť staré československé zásoby na odrazenie maďarského vpádu. V dôsledku takto vytvorenej nepriaznivej situácie sa síce slovenskej vláde pomocou narýchlo zorganizovaných a nedostatočne vyzbrojených jednotiek podarilo 24. marca zastaviť a odraziť ďalšie prenikanie maďarských vojsk do slovenského vnútrozemia, ale na zásah z Berlína sa musela vzdať protiútoku i všetkých politických krokov, ktoré by viedli k obnoveniu pôvodného stavu. Bratislavskej vláde nezostalo iné riešenie, ako pristúpiť na radu Berlína a prijať návrh maďarskej vlády vyriešiť vzájomný spor rokovaním.[111]

Maďarská vláda si bola istá, že dosiahnutú líniu nebude musieť vyprázdniť. D. Sztójay ešte pred začatím maďarskej vojenskej operácie hlásil z Berlína, že proti „malému riešeniu" Nemci nebudú mať námietky a obsadenú líniu uznajú za definitívnu hranicu medzi Slovenskom a Zakarpatskou Ukrajinou. V tomto zmysle Csáky informoval aj poľskú vládu, pričom zdôraznil, že Maďarsko dosiahnutú čiaru pokladá za hranicu.[112] Prirodzene, v chápaní maďarskej vládnej politiky to bolo iba malé riešenie,

---

[110] Tamže, Küm. pol. 1939–65/7–1451, Bratislava 24. 3. 1939; Tamže, Küm. pol. 1939–65/7–bez č. Vyhlásenie MTI z 24. 3. 1939.

[111] HOENSCH, J. K.: Účasť Telekiho vlády..., s 370–371.

[112] DIMK, III, s. 673, č. 553, s. 681–682, č. 558.

s ktorým nebola spokojná a za hlavného vinníka, ktorý zabránil maďarskému vojsku postupovať ďalej na západ, pokladala Nemecko. „Opäť to vyvolalo konsternáciu v Budapešti – písal poľský vyslanec z Budapešti – v najvyšších kruhoch mi povedali, že Maďari vlastne nevedia, čo Nemci chcú, lebo stále sú zaskočení ich rozhodnutím".[113]

Teleki a Csáky však chápali situáciu realistickejšie a dospeli k záveru, že za daných okolností sa vojenskou akciou nedá viac dosiahnuť. Navyše v dôsledku spontánneho odporu slovenského obyvateľstva a rýchlo zorganizovaných dobrovoľných jednotiek maďarská vláda musela priznať krach ďalšej legendy o prežívaní promaďarských nálad a sympatií k Maďarsku na východnom Slovensku. Práve naopak, maďarské vládne kruhy nemohli nezakryť svoje veľké sklamanie zo silného protimaďarského zamerania slovenského obyvateľstva. Csáky musel pred poľskou vládou priznať, že na ostré protesty nemeckej a slovenskej vlády bol nútený zastaviť ďalšie vojenské operácie, aby tým neotrávil maďarsko-slovenské a maďarsko-nemecké vzťahy. Súčasne však vyzdvihol, že podľa maďarských vojenských expertov maďarská armáda dosiahla strategický cieľ.[114] Ako sa vzápätí ukázalo, Telekiho vláda vôbec nepokladala akciu na východnom Slovensku za skončenú a rozhodla sa v nej pokračovať politickými prostriedkami a nátlakom. Kým Csáky odkázal do Varšavy, že „sa pokúsi získať ďalšie územie rokovaním so Slovákmi", Teleki hovoril už konkrétne o dosiahnutí ešte jedného priesmyku, pod čím zrejme myslel obsadenie územia až po líniu Prešov–Muszyna.[115] Ako si to maďarská vláda konkrétne predstavovala, vysvitlo počas maďarsko-slovenských rokovaní, ktoré začali v Budapešti 27. marca 1939 a trvali do 4. apríla.

Od začiatku rokovaní bol zarážajúci fakt, že maďarská vláda sa k oficiálnej slovenskej delegácii, ktorá požívala ochranu Ne-

---

[113] AAN-MSZ 6572, P III 66/tjn. Telegram č. 55 a 56, Budapešť 29. 3. 1939.
[114] OL, Küm. res. pol. 1939–33/a–319/5396/, Budapešť 24. 3. 1939.
[115] Tamže, HOENSCH, J. K.: Účasť Telekiho vlády..., s. 369.

mecka, správala veľmi povýšenecky a podceňovala ju ako partnera. V snahe zahnať slovenskú vládu k ústupu a prinútiť ju prijať hranicu, ktorú Maďarsko dosiahlo vojenskou silou, Telekiho vláda pohrozila, že bude žiadať znova vytýčenie maďarsko-slovenskej hraničnej čiary, čím dala slovenskej delegácii jasne na vedomie, že si nárokuje ešte na väčšie územie. Argumentovala, že zánikom československého štátu predchádzajúce určenie hraničnej čiary stratilo svoju platnosť. Keď postrašená slovenská vláda zistila, že nemôže rátať so žiadnou podporou zo strany svojho nemeckého „ochrancu", práve naopak, 31. marca 1939 Ribbentrop z Berlína do Bratislavy odkázal, že odporúča netrvať na zachovaní celistvosti hraníc na východnom Slovensku",[116] kapitulovala pred Maďarskom. V úsilí predísť ešte väčšej územnej strate, vyjadrila svoj súhlas s konečnou úpravou hranice na východe v prospech Maďarska. Tým sa celá záležitosť uzavrela a 4. apríla 1939 obidve vlády podpísali v Budapešti protokol, podľa ktorého sa Maďarsku podarilo urvať ďalší kus slovenského teritória v rozlohe 1897 km^2, kde žilo 69 630 obyvateľov takmer výlučne slovenskej a ukrajinskej národnosti.[117]

Po skončení sporu o hranicu medzi územím Slovenska a Zakarpatskej Ukrajiny Maďarsko síce získalo úzky pás, ale politicky stratilo omnoho viac. Maďarská politika si sama navodila situáciu, ktorú si neželala: utvorila nepriaznivú atmosféru a prispela k zvýšeniu napätia medzi Maďarskom a slovenskou vládou. Docielila to, čo nechcela. Svojím postupom i celkovým zámerom hnala Tisovu vládu ešte viac k Nemecku, od ktorého ho chcela odpútať. Maďarsko-slovenské napätie sa dobre hodilo nacistickej politike, ktorá ho využívala raz na posilnenie svojej pozície na Slovensku, druhý raz ako nástroj na tesnejšie pripútanie maďarskej politiky k Nemecku.

Maďarsko nedocenilo ani význam konštituovania slovenského štátu. Na jednej strane si síce uvedomilo, že nemecký faktor bu-

---

[116] HOENSCH, J. K.: Účasť Telekiho vlády..., s. 372–373.
[117] HRNKO, A.: c. d., s. 39.

de odteraz rozhodujúci na Slovensku, na druhej strane však zľahčovalo stupeň nacistického záujmu o Slovensko. V Budapešti verili, že Hitler nemá trvalý záujem o Slovensko. „Podľa hodnoverných správ – písal 11. mája 1939 Csáky maďarskému vyslancovi do Varšavy – Nemci po vyriešení poľskej otázky majú úmysel prepustiť Slovensko Maďarsku s vylúčením západného hraničného pásu pri Malých a Bielych Karpatoch."[118] Podobne maďarská politika priaznivo hodnotila aj iné momenty na Slovensku. V prvom rade Telekiho vláda s veľkým zadosťučinením kvitovala, že nadšenie zo vzniku samostatného štátu na Slovensku rýchlo upadá, a tak politické kruhy i verejná mienka si uvedomujú nepriaznivé dôsledky nemeckého prenikania a nemeckej ochrany. Toto zistenie dalo podnet k neopodstatneným optimistickým úvahám, podľa ktorých obavy pred nemeckým nebezpečenstvom a rozkúskovaním Slovenska posilňuje tendencie po pripojení k Maďarsku. Znova v Budapešti opakovali, že hungarofóbia sa prejavuje iba u špičky slovenských vládnych politikov, ktorá je údajne „umelo" živená oficiálnou tlačou a preto pomocou vonkajšieho tlaku – myslelo sa na Nemecko – ju bude možno časom paralyzovať.[119]

* * *

Ani po konštituovaní slovenského štátu sa maďarské vládne kruhy nevzdali plánov na ovládanie Slovenska, práve naopak. Keď nacistické Nemecko opustilo princíp „völkisch", myšlienka ďalšej územnej revízie nabrala „druhý dych". Z posledných československých udalostí maďarská politika usúdila, že sa utvorila reálna šanca na získanie Slovenska. Preto ani v novej situácii v ničom nezmenila svoj postoj k slovenskej otázke. Aj ďalej zásadne odmietala uznať akýkoľvek samostatný národný vývin na

---

[118] OL, Küm. res. pol. 1939–7–450, Budapešť 15. 5. 1939.
[119] Tamže, Küm. pol. 1939–65/7–1736, Bratislava 31. 3. 1939.

Slovensku, ktorý by bol v rozpore so svätoštefanskou myšlienkou a zostával mimo „historického" rámca maďarského štátu. Z toho dôvodu maďarskú vládnu politiku dráždila existencia slovenského štátu a nebola ochotná sa s ním zmieriť, pretože sa vymykal z „tradičného" riešenia národnostnej politiky jednotného veľkého maďarského štátu. Maďarská politika sa neustále kŕčovite pridržiavala tézy, že slovenský problém možno uspokojivo vyriešiť jedine v rámci integrálneho maďarského štátu a v kontexte s ostatnými národnosťami tohto štátu v priestore karpatskej kotliny. Každé iné riešenie pokladala za pomýlené, ktoré nemôže slúžiť ako východisko pre spoluprácu národov a národností v Podunajsku, ani tvoriť trvalý komponent žiadnej stredoeurópskej politiky. Akékoľvek úsilie smerujúce k samostatnému národnému vývinu mimo rámca svätoštefanskej koruny sa chápalo iba ako dočasné, ako cudzí prvok, ktorý je prejavom odcudzenia tradícií, v ktorých Slováci nielen 1000 rokov žili, ale ich aj vyznávali a schvaľovali. Na merite veci nemenil nič ani fakt, že slovenský štát nielen vznikol, ale aj existoval pod nacistickou ochranou. Podľa maďarského ponímania to bol iba vonkajší činiteľ, ktorý nemohol zmeniť konečný cieľ maďarskej politiky. Telekiho vláda sa s týmto krédom ani netajila a v Berlíne neustále dávala na vedomie, že Maďarsko sa dočasne zmieri s daným stavom, ale perspektívne si nárokuje na Slovensko a od tohto stanoviska neustúpi.

Ako si maďarské vládne kruhy predstavovali aplikovanie novej národnostnej politiky vo zväčšenom maďarskom štáte v duchu svätoštefanskej tradície, možno pozorovať už roku 1939 po okupácii časti Slovenska a Zakarpatskej Ukrajiny. V porovnaní so starými uhorskými pomermi sa zmenilo jedine to, že maďarská vláda sa vyhýbala používať najhrubšie formy násilných a otvorených odnárodňovacích praktík a nahrádzala ich novými, modernejšími metódami. V novej situácii, v záujme zabezpečenia vedúceho postavenia maďarských vládnych kruhov v nemaďarských oblastiach, sa kládol dôraz na diferenciáciu medzi národnosťami podľa stupňa ich vývinu, geografickej polohy, rozptýlenia a pod. a v prípade Slovákov sa vôbec neaplikovala jednotná národnostná politika. Kým na území bývalého trianonského Maďarska slovenská menšina mala byť riadená v starom duchu uhorskej tradície, na odtrhnutom južnom Slovensku išlo o postupné zbavovanie základných národnostných práv a na východnom Slovensku cesta k návratu do „starej vlasti" a k pestovaniu maďarského povedomia mala viesť cez sloviacku koncepciu.

Keďže v novej situácii si maďarská politika uvedomovala, že kľúč k riešeniu Slovenska sa nachádza v Berlíne, bolo treba určiť adekvátnu taktiku tak voči Nemecku, ako aj voči Slovensku. Vo vzťahu k Nemecku slovenský faktor ovplyvňoval maďarskú politiku vo viacerých momentoch. V Budapešti sa dočasne zmierili s tým, že Nemecko potrebuje Slovensko zo strategických dôvodov proti Poľsku a s tým dávali do súvislosti aj ochrannú ruku Hitlera nad Slovenskom. Tento dočasný ústup maďarská politika hneď vzápätí využila na to, aby cieľavedome oslabovala pozície slovenskej politiky v Berlíne. Telekiho vláda sa snažila dokázať Hitlerovi, že Maďarsko je tým pevným oporným bodom v strednej Európe, ktoré Nemecko potrebuje. Z toho vyplývalo, že pre nacistov by bolo osožnejšie, keby sa vo vhodnom čase vzdali hospodársky zaostalého a životaschopného Slovenska. V záujme získania väčšej priazne v Berlíne, maďarská politika bola ochotná urobiť ústupky aj v otázke nemeckej menšiny v Maďarsku, za čo však hneď na odvetu žiadala pomoc pri miernení protimaďarských nálad na Slovensku, obmedzovanie protimaďarskej agitácie z Viedne a tlmenie slovenskej iredenty.

Vo vzťahu k slovenskej vláde Maďarsko postupovalo osvedčenou cestou. Telekiho vláda v Berlíne vyhlasovala, že má najlepší úmysel normalizovať vzťahy s nemeckým patrónom, avšak bráni tomu pretrvávajúci „Benešov duch" na Slovensku a protimaďarské zameranie oficiálnych kruhov, ktorí túto politiku povýšili za hlavný cieľ štátu. Nebolo pochýb, že maďarská politika mala záujem na oslabení slovensko-nemeckých pút a jej cieľom bolo nahradiť na Slovensku Nemecko Maďarskom, avšak metódy a taktika, ktoré zvolili v Budapešti, vyvolali na Slovensku opačnú reakciu. Postup Telekiho vlády jednoznačne prezrádzal, že jej nešlo o zlepšovanie vzájomných vzťahov a už vonkoncom nie na princípe partnerstva, ale z pozície nadradenosti ovládnuť Slovensko za každú cenu. Maďarská politika sa usilovala čo najviac politicky a hospodársky oslabiť slovenskú vládu. Kým odďaľovaním úpravy hospodárskych vzťahov ju chcela prinútiť k rýchlej kapitulácii, v politickej oblasti slovenskú vládu úplne ignorovala. Napriek tomu, že Maďarsko hneď uznalo slovenský štát de jure, cieľavedome odsúvalo nástup slovenského vyslanca v Budapešti a kde mohlo, tam sa usilovalo slovenskú politiku medzinárodne bagatelizovať.

СЛОВАКИЯ В ПОЛИТИКЕ ВЕНГРИИ
в годах 1938–1939

Резюме

Политика венгерского правительства в течение всего периода между двумя мировыми войнами была направлена на обновление границ старой Венгрии. Свои претензии на всю Словакию она обосновывала геополитическим, географическим, экономическим и историческим „единством" бывшего венгерского государства. Словацкую нацию в качестве самостоятельного национального субъекта она игнорировала. Ее национальные права она не воспринимала как проблему самых словак, а лишь как политический объект, который любой ценой должен вернутья в пределы венгерского государства. После 1933 года венгерская политика пришла к убеждению, что с помощью нацистской Германии в удобное время ей удается превратить свои ревизионистские претензии в действительность. Поскольку нацистская политика проталкивала евои античехословацкие планы на эскаляции пребований немецкого меньшинства в республике, Венгрия также избрала временно такую же тактику, надеясь, что позднее появится возможность вернуться к идее обновления „историчекой" границы. Поэтому в период чехословацкого кризиса Венгрия официально претендовала на территорю, эаселенную венгерским меньшинством, причем на основании неточных и сильной мадьяризацией отмеченных статистических данных от 1910 года, в то время как остальная часть Словакии должна была вернуться в пределы венгерского государства при помощи искусно аранжированного плебисцита и при поддержке провенгерски ориентированной политической силы. Однако этот курс венгерской политике не принес успеха, потому что до мюнхенского совещания великих держав не удалось завоевать ни высокие позиции в Словацкой народной партии А. Глинки, ни крыло, которое проводило бы венгерскую концепцию. Правда, с весны 1938 года венгерское правительство заманивало глинковское руководство посредством лидеров венгерского меньшинства и при помощи Польши, конкретно предлагая автономию

Словакии в рамках венгерского государства. Однако, эта тактика была слишком прозрачная и неискренняя, и поэтому у глинковцев она не встретилась с пониманием. Наоборот, все возрастающие венгерские территориальные претензии и растущая агрессивность увеличивали недоверие глинковцев к венгерским планам автономии. Более того, венгерские правительственные круги вообще не подготавливали общественность к решению национального вопроса и ничего не меняли в старой святостепанской концепции. Лозунг автономии Словакии в рамках Венгрии имел скорее пропагандистские цели и был адресован зарубежным странам. Он должен был убедить западные державы в том, что Венгрия действует в духе права на самоопределение. Кроме того, в венгерских политических кругах преобладало мнение, что нацистская Германия военным путем ликвидирует Чехословакию, причем Венгрия примет участие в конфликте лишь на втором этапе, когда западные державы бросят республику на производ судьбы и когда в Чехословакии произойдет внутренний распад. Потом Венгрия могла бы вмешаться, ничего не рискуя. Концепция примирения в венгерской политике не была в достаточной мере разработана, во всяком случае не в такой мере, в какой она реализовалась.

Закючения мюнхенского совещания вызвали разочарование в Венгрии, потому что на основании мющенского сговора страна не получила ни кусочка чехословацкой территории. Правда, венгерское правительство по тактичексим соображениям формально не протестовало против мюнхенского решения и в соответствии с приложением к протоколу вступило в переговоры с Чехословакией о решении проблемы венгерского меньшинства, чему оно, однако, не приписывало особое значение. Оно было убеждено, что прямые переговоры с чехословацким правительством невыгодны для Венгрии и что оно не добъется своей цели. Перед великими державами оно доказывало, что Чехословакия будет саботировать переговоры, и требовало, чтобы вопрос о венгерских территориальных претензиях снова решили великие державы. Переговоры в городе Комарно в октябре 1938 года умели с венгерской стороны лишь формальный характер. Во время переговоров выяснилось, что венгерская сторона не собирается решать вопрос о венгерском меньшинстве, как это следовало из мюнхенского протокола, а стремится лишь устранить „несправедливость" Траинонского договора. Ее цель состояла не в создани этической границы между обоими государствами, а в пробедении более далекоидущих планов, т. е. в постепенном восстановлении святостепанской империи. Венгерская политика преследовала однозначную цель: сократить словацкую территорию до минимума и в максимально возможнойе мере ее обрубить, чтобы Словакия не была способна самостоятельной жизни и капитулировала перед Венгрией. Поэтому венгерская делегация пришла в Комарно с целью не вести переговоры, а диктовать. Ее сила состояла не в фактической аргументации, а в ссылках на принципы, которые применили Германия и Польша по отношению Чехословакии, понимая, что ее территориальные притязания встретяться с полной поддержкой у немецкой и итальянской политики. Когда после неудачи переговоров в Комарно венгерское правительство ненашло в Германии понимание для своих максималистских территориальных требований, оно поставило все на Италию, при помощи которой ей постепенно удалось модифицировать также позицию Германии и представить венгерские требования арбитражному суду двух фашистских держав.

Хотя венгерская правительственная политика оценивала венский арбитраж как свой успех, она была с ним не совсем довольна и считала его лишь временным решением, которое создало более благоприятные условия для дальнейшей ревизии. Независимо от того, что вплоть до ликвидации чехословацкого государства на переднем плане венгерской политики стоял вопрос овладения Закарпатской Украиной, она уделяла значительное внимание также Словакии. Особый акцент ставился прежде всего на получение согласия великих держав с плебисцитом, с которым венгерская политика связывала также будущие гарантии чехословацкой границы, далее на развитие новых форм ревизионистической пропаганды в Словакии, причем венгерское правительство где только могло, там саботировало венский протокол и его решения. Это отчетливо проявилось с многочисленных пограничных инцидентах, в поведении венгерских оккупационных органов по отношению к словацкому меньшинству на отторженной территории, и главным образом в неуступчивости и задержке работ в смешанных комиссиях. (На основе венского арбитража были созданы четыре смешанные комиссии: комиссия по делимитации, комиссия по вопросам меньшинств, юридическая и экономическая комиссии). Венгерская политика акцептировала лишь ту часть венских решений, которая ее устраивала. Те части текста, в которых она приняла на себя обязательства на отношению Чехословакии в вопросе окончательного решения о границе, при решении хозяйственных проблем и положения словацкого меньшинства на отторженной территории, она попросту игнорировала. В общем следует сказать, что решения венского арбитражного суда не принесли успокоение чехословацко-венгерские отношения. Напряженность не только продолжала существовать, но к концу 1938 года она даже обострилась. В ситуации ничего не изменила даже новая тактика второго правительства Имреди, которое пыталось „дружественными жестами" по отношению к словацкому автономному правительству углубить разногласия между Прагой и Братиславой, и у нацистов оказать влияние не решение „словацкого вопроса" в венгерском духе.

В дни агонии чехословацкого государства политика венгерского правительства намеревалас вмешаться в дальнейшую судьбу Словакии как через Закарпатскую Украину, так и при помощи нацистов. В первом случае Венгрия стремилась одновременно с оккупацией Закарпатской Украины овладеть также всей Восточной Словакией, чтобы таким путем еще больше парализовать Словакию и сделать ее зависимой от Венгрии. Во втором случае венгерская политика была убеждена, что „охранительная" рука Гитлера над Словакией имеет лищь временный характер и что после решения немецко-польской проблемы Германия не станет больше интересоваться Словакией. Поэтому даже после провозглашения словацкого государства венгерская политика не отказалась от планов поглощения Словакии. Она и впредь решительно отказывалась признать национальное развитие словаков, поскольку это противоречило идее святостепанской короны и, кроме того, словаки оставались вне „исторических" рамок венгерского государства. Любое иное решение вопроса воспринималось как временное, как чужой элемент, который является проявлением отчуждения традиции, в которой словаки как утверждалось – не только жили целыми столетиями, но к которой они даже признавались.

Slovakia in the Politics of Hungary in 1938–1939

Summary

The Hungarian governmental policy strived after the restoration of the old Hungarian Lands during the whole period between the two world wars. They justified their claims to the whole Slovakia with geopolitical, geographical, economic and historical „unity" of the historic Hungarian State. The Slovak nation was ignored as an independent national subject. Its national rights were not understood as the problem of the Slovaks themselves but as a more political object which should be returned into the framework of the Hungarian state at all costs. After the year 1933, the Hungarian policy became convinced that through the help of Nazi Germany they would manage to materialize their revisionist aspirations in an appropriate point of time. As the Nazi policy based their anti-Czechoslovak plans on the ethnic principle and the gradation of the claims of the German minority in the republic, Hungary also adopted this policy temporarily in the hope they could return to the idea of „historical" border restoration later. Therefore, in the period of Czechoslovak crisis, Hungary officially claimed the territory inhabited by the Hungarian minority referring to inaccurate and by Hungarianization strongly influenced statistics from the year 1910 and the rest of Slovakia had to be returned to the Hungarian state by means of a well manipulated plebiscite and the support of pro-Hungarian political forces. However, this way did not bring success to the Hungarian policy for till the Munich Conference of powers they neither gained significant positions in Hlinka's Slovak National Party nor a wing which would enforce the Hungarian concept. Though from the spring 1938 the Hungarian government allured the nationalist leadership („ľudáci") through the mediation of the Hungarian minority leaders and with the help of Poland and offerred autonomy to Slovaks within the Hungarian state, this tactics was too transparent and insincere to meet with understanding of Hlinka's partisans („hlinkovci"). On the contrary, the growing Hungarian territorial requirements and the increasing aggressivity enhanced the mistruct of „ľudáci" to the Hungarian plans of autonomy. Moreover, the Hungarian governmental circles did not prepare the public for the solution of the national issue at all and they did not change anything in the old St. Stephen concept either. The slogan of the autonomy of Slovakia within Hungary had rather propagandistic objectives and it was mainly aimed at the foreing countries. It should convince the western powers in the fact that Hungary proceeds in the spirit of the right for self-determination. Besides this, the opinion the Nazi Germany would militarily eliminate Czechoslovakia and Hungary would participate in the conflict only in the second stage when the western powers would leave the republic to its own destiny and internal decay would start in Czechoslovakia, prevailed in the Hungarian political circles. Then, Hungary could intervene without risking. The concept of appeasement was not sufficiently elaborated in the Hungarian policy, or at least not to the extent it was implemented.

The conclusions of the Munich Conference caused disappointment in Hungary for, according to the Munich Agreement, they did not obtain any Czechoslovak territory. For tactical reasons the Hungarian government did not formally oppose the Munich resolution according to a clause to the document they started negotiations on the solution of the Hungarian minority issue with Czechoslovakia. However, they did not ascribe importance to it. They were convinced that direct negotiations with Czechoslovak goverment are disadvantageous to Hungary and would not arrive to the desired end. They were proving to world powers that Czechoslovakia would sabotage the negotiations. They were demanding the world powers to decide upon the Hungarian territorial requirements once again. The negotiations at Komárno in October 1938 had only a formal nature from the Hungarian side. The course of the negotiations showed that the Hungarian government is not ready to solve the issue of the Hungarian minority according to the Munich Agreement but according to the injustice of the Trianon Agreement. Its aim was not to establish ethnic frontier between both states but the implementation of more far- reaching plans, i. e. a gradual restoration of the St. Stephen's empire. The Hungarian policy followed a clear objective; the reduction of Slovak territory to minimum and maximum curtailment of it so that it would not be viable and would capitulate to Hungary. There-fore the Hungarian party did not come to negative but to dictate at Komárno. Their power did not consist in real reasoning but in referring to the principles which Germany and Poland apwould be fully supported by German and Italian policy. When the Hungarian government did not find understanding for their maximalist territorial requirements in Germany after the break of Komárno negotiations they bet everything on Italy through the mediation of which they succeeded in modifying also the German attitude gradually and in submitting the Hungarian claims to the arbitrational court of two fascistic powers.

Though the Hungarian governmental policy assessed the Vienna arbitration as their success they were not completely satisfied and considered it only for a provisional arrangement which established more favourable conditions for another revision. Independent of the fact that until the break of the Czechoslovak State the issue of assuming control over Transcarpathian Ukraine was in the limelight of the Hungarian policy, Slovakia was also paid significant attention. Special emphasis was given to the enforcing of the plebiscite at powers for the Hungarian policy connected also future guarantees of Czechoslovak border with it, as well as the development of new forms of revisionist propaganda in Slovakia, and the Hungarian government sabotaged the Vienna document and its conclusions wherever they could. This was clearly manifested by many frontier incidents, the attitude of the Hungarian occupation bodies to the Slovak minority on the torn-off territory and mostly by the unyieldingness and delay of work in joint commissions. (Based on the Vienna arbitration four joint commissions: delimitation, legal, economic and minority were established.) The Hungarian policy accepted only that part of the Vienna resolution which satisfied them. The passages where they assumed commitments to Czechoslovakia in the issue of frontier definitiveness, the solution of economic problems and the position of Slovak minority in the torn-off territory, they simply ignored. It is necessary to say that after all the conclusions of the Vienna arbitration did not calm down the Czechoslovak-Hungarian relations. The tension not only lasted but even came to a head by the end of 1938. Neither did the new tactics of the second Imrédy's government which tried to deepen the disharmony between Prague and Bratislava with „friendly gestures" towards the Slovak autonomous government an influence the Nazi solution of the „Slovak issue" in the Hungarian spirit change anything in the situation.

In the days of the Czechoslovak state agony the Hungarian governmental policy wanted to interfere in the further destiny of Slovakia first through the Transcarpatian Ukraine as well as trough the help of Nazis. In the first case Hungary tried to assume control also over the whole eastern Slovakia together with the occupation of Transcarpathian Ukraine to paralyse Slovakia even more and to make it more dependant on Hungary. In the latter case the Hungarian policy was convinced that Hitler's „protective" hand over Slovakia had only provisional nature and after the solution of the German-Polish problem Germany would lose their interest in Slovakia. Therefore neither after the foundation of the Slovak State the Hungarian policy gave up the plans to devour Slovakia. They continued to explicitly refuse to recognize the national evolution of Slovaks for it was in discrepancy with the idea of the St. Stephen's Crown and, moreover, the Slovaks remained off the „historical" framework of the Hungarian state. Any other solution was understood as temporary, as a foreign element which is the manifestation of alienation of the tradition which the Slovaks – as it was affirmed – not only lived for centuries in but also confessed.

189

V POLITIKE MAĎARSKA V ROKOCH 1938–1939

PhDr. LADISLAV DEÁK, CSc.

Obálku navrhol **Ľubomír Mika**
Zodpovedná redaktorka publikácie **PhDr. Vlasta Jaksicsová**
Technická redaktorka **Marcela Janálová**
Korektorka **Jana Hronová**

Rukopis zadaný do tlače dňa 25. 5. 1989

Prvé vydanie. Vydala VEDA, vydateľstvo Slovenskej akadémie vied, v Bratislave
v roku 1990 ako svoju 2910. publikáciu. Strán 192. Náklad 600 výtlačkov.
AH 10,12, VH 10,85. Vytlačili Nitrianske tlačiarne, z. p., Nitra. Povolenie SÚKK

ISBN 80-224-0169-2
02 Kčs ⬤,–